Janusz Ledwoch

8,8 cm Flak 18/36/37
vol. I

Warszawa 2002

Okładka – Arkadiusz Wróbel
Plansze barwne – Grzegorz Jackowski
Rysunki detali – instrukcje fabryczne
Konsultacja techniczna – por.mgr inż. Mariusz Magier
Fotografie barwne – Jakub Grzędzinowski
Opracowanie redakcyjne – Artur Winiarski
Zdjęcia/Photo Credits: CAW, Warszawa, Polska
NTM, Praha, Republika Czeska,
Tank Museum, Bovington Camp, England,
ADM, Warszawa, Polska

Wydawnictwo „MILITARIA" ™ – 00-961 Warszawa 42 skr. pocz. 106

tel 845 14 27, 0 601 21 79 99
fax 845 14 27

e mail:militaria@supermedia.pl

www:militaria.net.pl

ISBN 83-7219-134-4

Armata 8,8 cm Flak 36 z nieustalonej jednostki ostrzeliwuje cele naziemne, okolice Kijowa, wrzesień 1941 roku. *An 8.8cm Flak 36 AA fires on an enemy ground target, Kiev area, Ukraine, September 1941.* **[CAW]**

Niewątpliwie najsłynniejszą armatą armii niemieckiej w okresie II wojny światowej była „8,8 cm", czyli po prostu armata uniwersalna 8,8 cm Flak 18/36/37. Ten typ uzbrojenia był z powodzeniem używany zarówno do zwalczania celów naziemnych, jak i samolotów.

Część I monografii omawia powstanie konstrukcji, opis techniczny armaty i jej zastosowanie w Hiszpanii, w Polsce, podczas walk w Belgii i we Francji, kampanii bałkańskiej i początkowej fazie wojny z ZSRS.

Książka jest bogato ilustrowana zdjęciami, rysunkami i planszami barwnymi.

Po zakończeniu I wojny światowej traktat wersalski nałożył na Niemcy liczne ograniczenia zbrojeniowe. Jednym z najistotniejszych był zakaz posiadania przez Niemcy artylerii przeciwlotniczej i lotnictwa wojskowego. Aliancka Komisja Rozbrojeniowa zaakceptowała tylko pozostawienie nielicznych armat przeciwlotniczych zainstalowanych na pokładach okrętów *Reichsmarine.*

Niespodziewanie najsilniejszym orężem przeciwlotniczym jednostek *Reichswehry* stały się karabiny maszynowe **Maxim 08**. Po złagodzeniu restrykcji, na podstawie porozumienia genewskiego z 1932 roku, jednostki artylerii armii niemieckiej otrzymały armaty przeciwlotnicze kalibru 75 mm **7,5 cm Flak L/60**. Wyprodukowano tylko niewielką ilość tych armat, które zostały m.in. wysłane do Hiszpanii, gdzie były używane tylko przez jednostki armii hiszpańskiej, a nie Legion *„Condor".*

The most famous German gun of WW II was the deadly AT and AA "acht koma acht" 88mm Flak 18/36/37 gun. 88mm guns were used for purposes, fighting against enemy tanks and high flying aircraft.

This publication contains information about the development of 8.8cm Flak 18/36/37 gun, combat use in 1936-1941 and technical data.

After the WW I the German army *Reichswehr* was the forbidden to use any AA weapons and accompanying fire-control devices developed up to that time. The heaviest German army AA weapon was **Maxim MG 08** machine gun and a few naval AA guns on board of *Reichsmarine* ships. After the Geneva Convention of 1932, at which Weimar Republic was reognized as having an equal standing to other states, the development of AA guns and AA units within the army (and then in the air force) could begin. In 1933 the new **Flak L/60** 75mm was introduced, and then replaced by the famous 88mm **Flak 18**. The model designation "**18**" was applied to all these weapons to conceal the developments that had been carrierd out earlier during the WW I, before the arms limitation of 1920.

Until the introduction of *Wehrmacht* in 1935, the formation and development went on within the *Reichwehr* under the deceptive term of *Fahrabteilung* (Train Battalions). In 1935 many AA units were removed from the Army and transferred to newly formed *Luftwaffe* units. Only 8 battailons remained under Army control. *Kriegsmarine* had 12 AA companies used to protect naval bases.

On November 7th, 1936 in Spain arrived the first heavy guns of the *F/88* AA artillery battalion of the *Legion "Condor". F/88* unit contained four heavy and two light batteries. In March 1937 a heavy

U góry. Pokaz obsługi armaty 8,8 cm Flak 18 podczas Parteitagu w Norymberdze w 1936 roku. *Top. A public display of 8.8cm Flak 18 gun seen during Parteitag in Nürnberg in 1936.* **Powyżej. Defilada jednostki artylerii plot. podczas „Dnia Luftwaffe", armata 8,8 cm Flak 18 na podwoziu Sd Anh 201.** *Above. A parade of Flak unit during the "Luftwaffe Day". Note 8.8cm Flak 18 gun on Sd Anh 201 chassis.* **[CAW]**

W 1933 roku wprowadzono do uzbrojenia nowy model armaty **8,8 cm Flak 18** kalibru 88 mm. Celowo zastosowano dezinformujące oznaczenie „**18**", tak, aby stworzyć wrażenie, że armaty są po prostu powtórnie produkowanymi armatami **Flak 18** z okresu pierwszej wojny światowej, czyli powstały przed wprowadzeniem ograniczeń zbrojeniowych w 1920 roku. Innym sposobem dezinformacji było włączenie jednostek artylerii przzeciwlotniczej do jednostek taborowych, stąd też często armata **Flak 18** była określana jako „taborowa".

W 1935 roku, po reaktywowaniu lotnictwa wojskowego, większość jednostek artylerii przeciwlotniczej włączono do *Luftwaffe*, część jednostek (8 dywizjonów) nadal pozostawała pod rozkazami armii lądowej. Marynarka wojenna, oprócz dział na okrętach, miała 12 kompanii ciężkiej artylerii przeciwlotniczej używanej do osłony baz morskich i fortyfikacji.

7 listopada 1936 roku do Hiszpanii przybyły pierwsze oddziały jednostki artylerii przeciwlotniczej *Legionu „Condor"*. Jednostka artylerii *F/88* składała się z czterech baterii ciężkich (armaty kalibru 88 mm) i dwóch lekkich (początkowo armaty kalibru 20 mm, później kalibru 20 mm i 37 mm).

Po zakończeniu kompletowania sprzętu i uzbrojenia oraz szkolenia w marcu 1937 roku 1. bateria uzbrojona w armaty 8,8 cm Flak 18 kalibru 88 mm została przeniesiona do Burgos, zaś podobnie uzbrojona 3. bateria do Vittoria. Dodatkowo dwie inne baterie wspierały działania artylerii frankistowskiej na północ od Burgos. Wówczas podstawowym zadaniem jednostek było zwalczanie celów naziemnych.

Defilada 1. Dywizjonu Pułku „General Göring" z okazji urodzin Hitlera, 20 kwietnia 1939 roku. Armata 8,8 cm Flak 18 na podwoziu Sd Anh 202 (wczesny typ). *Above. A parade of the 1st Battalion "General Göring" Regiment, A. Hitler's birthsday, 20 April 1939. Note 8.8cm Flak 36 gun on an early type Sd Anh 202 chassis.* **[CAW]**

Armata 8,8 cm Flak 18 w czasie uroczystości wręczenia sztandaru nowo sformowanej jednostce artylerii przeciwlotniczej, Tannenberg, sierpień 1937 roku. ***An*** *8.8cm Flak 18 gun seen during on hand the flag ceremony of unidentified new formed Luftwaffe AA artillery unit, Tannenberg, East Prussia, August 1937.* **[CAW]**

U góry. Defilada nieustalonej jednostki artylerii przeciwlotniczej, widoczna armata 8,8 cm Flak 18. *Top. A parade of unidentified Flak unit. Note 8.8cm Flak 18 gun.* **Powyżej. Defilada 1. Dywizjonu Pułku „General Göring" w koszarach w Berlinie Reinickendorfie, 1938 rok. Armata 8,8 cm Flak 18 na podwoziu Sd Anh 202 (wczesny typ).** *Above. A parade of the 1st Battalion "General Göring" Regiment at Berlin Reinickendorf barracks in 1938. Note 8.8cm Flak 18 gun on an early type Sd Anh 202 chassis.* **[CAW]**

Szkolenie żołnierzy z I. Dywizjonu Pułku „Generał Göring", widoczny wczesny dwubarwny kamuflaż armaty. *Soldiers training of the Ist Battalion "General Göring" Regiment . Note early two-tone camouflage pattern of the 8.8cm Flak 18 gun.* **[CAW]**

battery was transferred to Burgos (one battery 88mm guns), Vittoria (3rd Battery) and to a special artiillery zone north of Vittoria (two batteries). Their tasks were air defence and engagement of ground targets. After the Northern Campaign the five 88mm batteries were divided between the bases at Santander and Burgos. During Republican offensive in Teruel area*F/88* batteries were used for the local defence of Burgo de Osma, Almazan and Zaragoza.

In March, 1938 the 2nd and 6th heavy batterries were moved to Villanueava de Huelva sector and used to support ground operations against Republican forces. On March 10th, 1938 east of Belchite the guns of the 6th *F/88* heavy battery shot up an enemy AA battery manned by French International Brigadists and equipped with Soviet 76.2mm **M1931** guns.

A few days later Legion AA guns of *F/88* unit firing against grounds targets before Azaila. On March 16th, 1938 the 2nd Battery was in action near Caspe firing at enemy counterattacks supported by tanks and artillery. During Nationalist offensive a light and a heavy battery of *F/88,* under the command of *Oberleutnant* von Lichtenberger were moved in the assembly area to provide direct support to the Spanish infantry units.

On June 10th, 1938 the 6th Battery damaged two Republican bombers attacking La Cenia airfield. Accurate fire from the heavy batteries of *F/88* forced **SB-2** bombers to turn back. On June 13th, 1938 the destruction of an **SB-2 "Katiushka"** Republican bomber was awarded to the 88mm guns of the 6th Battery.

Next month German-manned heavy batteries were engaged in Gandesa area. On July 29th, 1938 all batteries of *F/88* arrived in the Ebro battle zone and were immediately integrated into the ground units. On August 3rd, 1938 an **SB-2** bomber fell to the 6th Battery north of Gandesa.

On January 12th, 1939 88mm guns of *F/88* fired high explosive shells at the Republican motorised artillery battery scattering the gun crews.

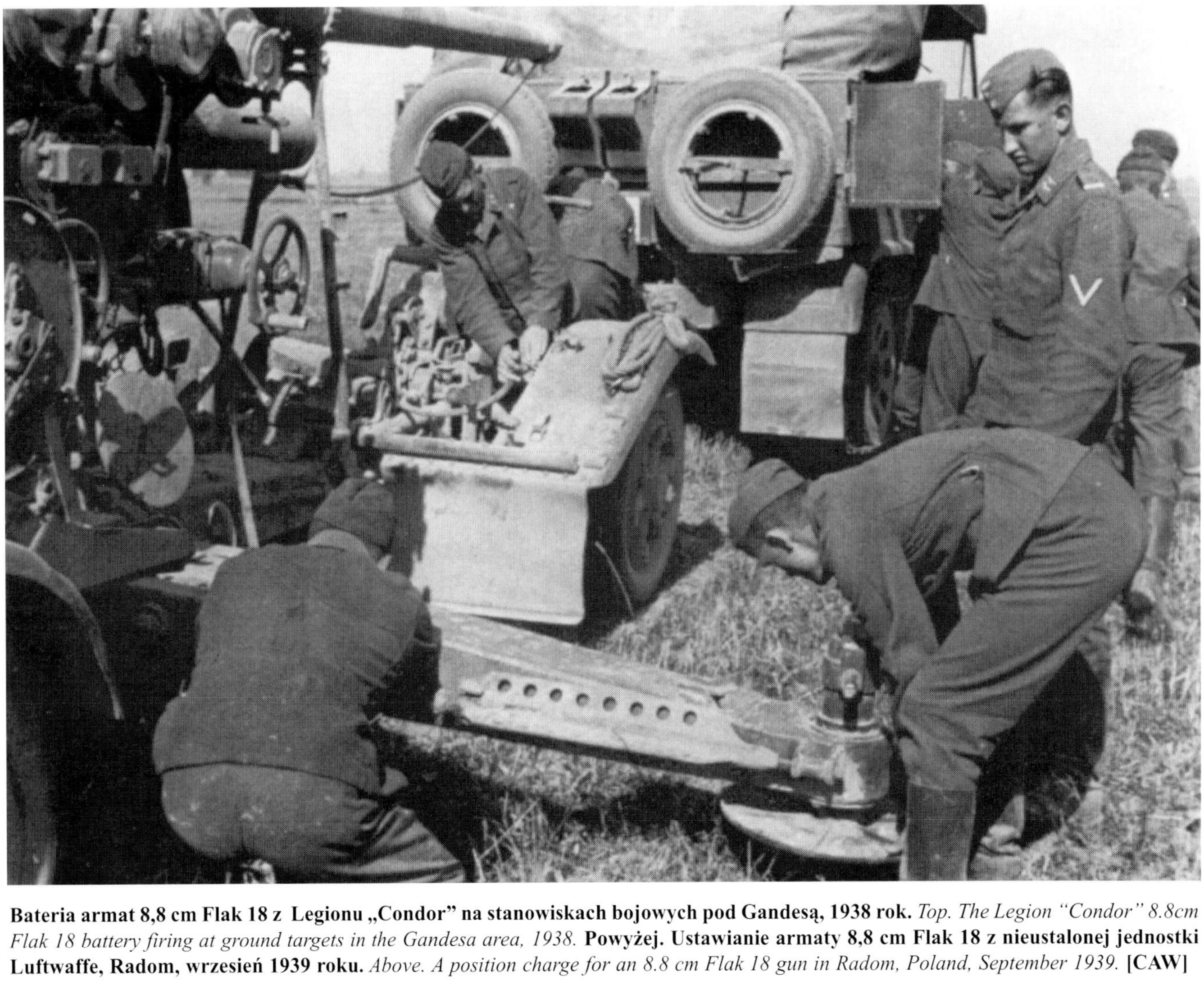

Bateria armat 8,8 cm Flak 18 z Legionu „Condor" na stanowiskach bojowych pod Gandesą, 1938 rok. *Top. The Legion "Condor" 8.8cm Flak 18 battery firing at ground targets in the Gandesa area, 1938.* **Powyżej. Ustawianie armaty 8,8 cm Flak 18 z nieustalonej jednostki Luftwaffe, Radom, wrzesień 1939 roku.** *Above. A position charge for an 8.8 cm Flak 18 gun in Radom, Poland, September 1939.* **[CAW]**

Po zakończeniu walk na północy Hiszpanii pięć baterii artylerii przeciwlotniczej skoncentrowano w okolicach Burgos i Santander. Podczas ofensywy wojsk republikańskich pod Teruelem dwie baterie of *F/88* były używane do lokalnej obrony Burgos de Osma, Almazanu i Saragossy.

W marcu 1938 roku 2. i 6. bateria (ciężka) zostały dyslokowane do Villanueava de Huerva i użyte do wsparcia działań wojsk. 10 marca 1938 roku na wschód od Belchite 6. bateria *F/88* celnie ostrzelała baterię republikańską obsługiwaną przez Francuzów z Brygad Międzynarodowych i uzbrojoną w sowieckie armaty przeciwlotnicze **typ 1931** kalibru 76,2 mm.

Kilka dni później armaty 88 mm *Legionu „Condor"* zostały użyte do zwalczania celów naziemnych koło Azaila. 16 marca 1938 roku armaty wspierały kontrataki frankistów.

W czasie ofensywy wojsk frankistowskich bateria dowodzona przez *Oberleutnanta* von Lichtenbergera, podążając w szyku piechoty hiszpańskiej skutecznie wspierała atak *„moros"*.

W marcu 1939 roku Dywizjon *F/88* był dowodzony przez majora Kretschmana, 1. bateria przez *Hauptmanna* Bundta, 2. kapitana Reitera. Dwie nowo sformowane baterie 3. i 8. były dowodzone przez kapitana von Jablonskiego i ppor. Hackera.

W chwili wybuchu II wojny światowej jednostki *Luftwaffe* miały łącznie 657 baterie uzbrojone w 2600 armat typu: **8,8 cm Flak 18/36**, **10,5 cm Flak 38** i zdobyczne czeskie **8,35 mm Flak 22(t)** produkcji *Skody*.

W skład *Wehrmachtu* wchodziło tylko 8 dywizjonów lekkiej artylerii przeciwlotniczej armat **2 cm Flak 30/38**. *Kriegsmarine* posiadała 12 kompanii ciężkiej artylerii przeciwlotniczej, służącej do obrony przeciwlotniczej baz morskich i fortyfikacji.

In March 1939 the *F/88* Battalion was commanded by *Major* Kretschman, the 1st battery (88mm) by *Hauptmann* Bundt, the 2nd Battery *Hauptmann* Reiter. *F/88* battalion also had two more 88mm **Flak 18/36** batteries: the 3rd battery commanded by *Hauptmann* von Jablonski (later killed in Poland in September 1939) and the 8th Battery by *Leutnant* Hacker.

On the eve of the WW II *Luftwaffe Flak* units had 657 heavy batteries equipped with heavy 2600 guns: **8.8cm Flak 18/36**, **10.5cm Flak 38** and captured Czech **8.35cm Skoda Flak 22** guns. In the army, there were only eight *Flak Abteilung* equipped only with light **2cm Flak 30** and newer **2cm Flak 38**. *Kriegsmarine* had 12 naval heavy *Flak* companies, primarily intended for defence of naval bases, harbors, naval fortifications.

Only focal points areas, such as Groß Berlin, Hamburg and industrial areas in the Ruhr could be fully protected. Smaller objects were often protected by mixed units of heavy and light *Flak* ba-tteries. In 1940 *Luftwaffe* had 791 heavy batteries, and the following year 967 batteries.

During Polish campaign 88mm gun batteries of *Luftwaffe* only a few times were used against Polish forces. On September 8th, 1939 the 1st Battery of the 22nd *Flak Regiment* under *Major* Weißner given direct fire support against counterattacking Polish infantry in Iłża area. The 88mm gun gunners defended their positions in close combat with bayonets on their Mausers. Their commander *Major* Weißner, fell as did the CO of the 3rd Battery *Hauptmann* von Jablonski. Germans lost three 88mm guns and towing tractors.

The *Flak* artillery took air space under its protection, because slow and low-level attacking Polish aircraft were victims of light 20mm and 37mm *Flak* batteries, not high-altitude operating 88mm batteries. After Polish campaign all batteries attached to the first-line units, particullary where their use in the front lines to support

Armata 8,8 cm Flak 18 z nieustalonej jednostki Luftwaffe na stanowisku bojowym, Niemcy, początek 1940 roku. *An 8.8cm Flak 18 gun of unidentified Luftwaffe unit in firing position, Germany, early 1940.* **[HU ACR]**

Tylko najważniejsze cele takie jak obszar Wielkiego Berlina, Hamburg czy Zagłębie Ruhry posiadały pełną obronę przeciwlotniczą. Mniejsze cele były bronione przez mniejsze jednostki, baterie i dywizjony. W 1940 roku *Luftwaffe* miała 791 baterii ciężkich, zaś w 1941 roku 967 baterii.

W czasie kampanii w Polsce baterie uzbrojone w armaty **8,8 cm Flak 18/36** nie zwalczały lotnictwa polskiego, bowiem latające na niskim pułapie, skuteczną ochronę wojsk zapewniały lekkie działa przeciwlotnicze kalibru 20 mm i 37 mm, bardzo skuteczne w zwalczaniu niskolecących i powolnych samolotów polskich.

8 września rankiem jednostki *Kampfgruppe „Ditfurth"* z 3. Dywizji Lekkiej napotkały pod Iłżą silny opór wojsk polskich. Po południu 1. bateria 22. *Flak Regiment* dotarła do Piłatki i zajęła pozycje wzdłuż drogi. 2. i 3. bateria obsadziły pozycje bardziej na wschód. Niedługo potem obsługi armat „**88**" odparły silny kontratak wojsk polskich. Oddziały polskie zaatakowały ponownie wieczorem. Doszło do walki na bagnety. Podczas obrony stanowiska dowodzenia poległ *Oberst* Dittfurth. Nad ranem Polacy ponownie zaatakowali stanowiska armat. Kanonierzy bronili pozycji z karabinami w ręku. Doszło do walki wręcz. W walce poległ dowódca 1. baterii major Weißner i dowódca 3. baterii *Hauptmann* von Jablonski.

W czasie kampanii w Polsce ciężkie baterie przeciwlotnicze tylko kilkakrotnie ostrzeliwały polskie samoloty.

Po zakończeniu kampanii w Polsce baterie artylerii przeciwlotniczej przydzielone do jednostek pierwszoliniowych otrzymały tarcze ochronne.

Armata 8,8 cm Flak 18 z nieustalonej jednostki Luftwaffe na stanowisku bojowym na wyspie Sylt, Niemcy, marzec 1940 roku. *An 8.8cm Flak 18 gun of unidentified Luftwaffe AA artillery unit in firing position, Sylt Island, Germany, March 1940.* **[CAW]**

Armata 8,8 cm Flak 36 z nieustalonej jednostki Luftwaffe na stałym stanowisku bojowym, Norwegia, 1941 rok. *An 8.8cm Flak 36 gun of unidentified Luftwaffe unit in fixed firing position, Norway, 1941.* **[CAW]**

Armata 8,8 cm Flak 18 z nieustalonej jednostki Luftwaffe holowana przez ciągnik Sd Kfz 7,Wasserbiling, Luksemburg, 10 maja 1940 rok. *An 8.8cm Flak 18 gun is towed along the main street in Wasserbiling, Luxemburg by an Sd Kfz 7 tractor, 10th of May 1940.* **[CAW]**

Odłączenie przedniej osi podwozia Sd Anh 202 od podstawy armaty. *After relasing the hooks on the front axle of Sd Anh 202 chassis lowered gun base.* **[CAW]**

ground forces was planned, received shields for the 88mm guns. 18 heavy *Flak* batteries took up positions around Warsaw and were firing at Polish fortifications. 88mm heavy *Flak* guns supported infantry units during the Battle of Kutno (Battle of Bzura).

On September 4th, 1939 German **8.8cm Flak 18/36** batteries shot down one or two British **"Wellington"** bombers attacking German battleships *"Scharnhorst"* and *"Gneisenau"* off Brünsbüttel. During *Sitzkrieg* 88mm Flak batteries were often firing at Allied aircraft dropping leaflets over the IIIrd Reich.

On October 3rd, 1939 a French **Potez 637** was shot down over Strasbourg by German 88mm guns of 84th *Flak Abteilung*. During the night of 15th/16th of October 88mm guns shot down a British **"Whitley"** bomber over Frankfurt and an **Amiot 143** of French *GB I./34* over Mayence.

Based on experience gained during the Polish campaign, a total some 32 motorised *Flak* batteries were united to form the 1st and 2nd *Flak Corps* for combat use of 88mm guns with motorised and fast armoured units.

In the Western campaign, the 1st and 2nd *Flak Corps* were advanced. Ground combat against bunkers and tanks, repeated position changes of the individual *Flak* heavy batteries were often necessary. 1st Corps was assigned to provide anti-aircraft and anti-tank protection for *Panzergruppe „Kleist"*. 2nd Corps established on October 1st, 1939 were a component of the 2nd *Luftflotte* and were assigned to provide anti-aircraft and anti-tank protection for the 4th Army and the 6th Army during the 1940 campaign. Individual 88mm guns saw action as "working guns" in the foremost lines, to bring down nests of opposition, tank attacks or bunkers. Here **8.8cm Flak 18/36/37** proed very efficient with its armour-piercing shells. Usually just a few shots were sufficient to

U góry. Zniszczona armata 8,8 cm Flak 36 i ciągnik Sd Kfz 7 z jednostki Luftwaffe, Francja, maj 1940 rok. *A destroyed 8.8cm Flak 36 gun and Sd Kfz 7 tractor of a Luftwaffe unit, France, May 1940.* **Powyżej. Czołg „Matilda" II „Glenlivet"z 7. RTR trafiony przez „88" pod Arras.** *Above. A "Matilda" II named "Glenlivet" tank of the 7th RTR penetrated by 88mm shots during battle of Arras in May 1940.*

Armata 8,8 cm Flak 18 z nieustalonej jednostki Luftwaffe na stanowisku bojowym, w tle czołg „Crecy-au-Mont" z 347. Kompanii Czołgów, Mount de Caubert, 4 czerwca 1940 roku. *German 8,8 cm Flak 18 gun in firing position, in the background is there a French tank Char B1bis "Crecy-au-Mont" of the 347th Tank Company at Mount de Caubert, 4th of June 1940.* **[CAW]**

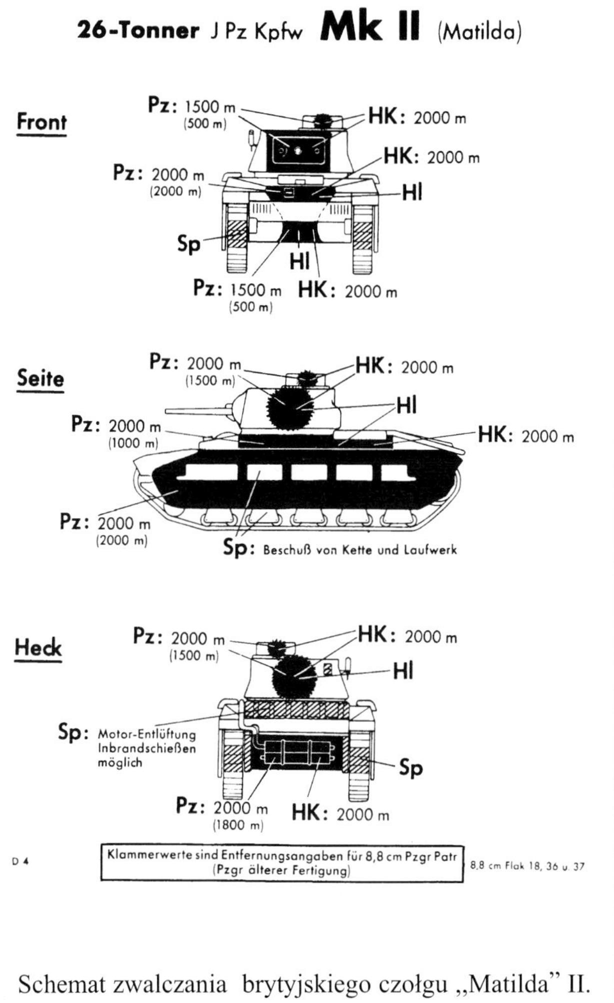

Schemat zwalczania brytyjskiego czołgu „Matilda" II.
The firing schematics against British "Matilda" II tank.

put the crews in a bunker or tank out of action with a direct hit. The most effective shot range for this purpose was up to 2000 metres. Because of its large size it, could often fire only at covered firing positions. The citadel of Boulogne was attacked in this way by an 88mm *Flak* unit commanded by *Oberleutnant* Horst Harras.

On 22nd of May heavy 88mm *Flak* guns of the 1st Kompanie of *Flak Lehr Regiment* all opened fire at very short range against the French heavy tanks **Char B1bis** and within a few minutes the seven remaining **Renault B1bis** tanks of the 1st French Armoured Division weredisabled.

On 20th of May, 1940 a group of French tanks of the 29th *Dragoons* and 39th *Tank Battalion* fell on strong well-camouflaged German positions. The French tank force suffered heavy losses at the hand of 88mm *Flak* guns of the 1st Battalion of *Flak Regiment "General Göring"*. A few 88mm **Flak 18** on fixed positions were used to protect the divisional HQ of the 4th Panzer Division. On May 20th, the 1st Flak Battalion of *Flak Regiment* 19, comprising three heavy 88mm *Flak* batteries. Advanced 88mm *Flak* guns opened fire directly at the fortification turrets and cupolas knocking them out one by one. At Malone 88mm *Flak* guns supported 365th and 211th *Infanterie Regiment* destroying some French fortifications. At the first light on May 23rd 88mm *Flak* fired point-blank at the cupolas.

An extracts from the 7th Panzer Division report on the events of May 21, 1940.

"Finally it was possible to hold this heavy attack (British "Matilda" infantry tanks) by the defensive fire of all batteries of Artillery Regiment 78, Light Flak Unit 86 under Major Dohrader, the three batteries of Flak Regiment 59 under Hauptmann von Hirschfeld, one 88mm battery of Flak Regiment 23. After the loss of many tanks the enemy drew back to Arras". German deadly **"88"** destroyed four well-armoured **"Matildas"** of the 4th and 7th *RTR*.

On 28th of May, 1940 88mm *Flak* guns of *Flak Abteilung* 64 destroyed a few attacking heavy French **Char B1bis** tanks `of the de Gaulle's 4th Armoured Division.

During the operation *of breaking Maginot Line* a special *Flak* artillery unit *Flakbrigade "Veith"* was formed. Brigade contained 17 batteries of 88mm *Flak* guns. A large number of *Flak* batteries,

U góry. Armata 8,8 cm Flak 18 z pułku „General Göring" Luftwaffe na stanowisku bojowym osłania sztab 4. Dywizji Pancernej, maj 1940 roku. *Top. German 8,8 cm Flak 18 of "General Göring" Regiment guarding a HQ of the 4th Panzer Division.* **Po prawej. Armata 8,8 cm Flak 18 na pozycji wewnątrz fortyfikacji w Faulquemont.** *Right. An 8.8cm Flak 18 gun in firing position in Faulquemont fortification.* **Poniżej. Armata 8,8 cm Flak 36 na stanowisku bojowym pod Amiens, 10 czerwca 1940.** *Below. An 8.8cm Flak 36 gun in firing position near Amiens, June 10th 1940.* **[CAW]**

Armata 8,8 cm Flak 18 z nieustalonej jednostki Luftwaffe na stanowisku bojowym, Linia Metaxsa, Grecja, kwiecień 1941 roku. *An 8.8cm Flak 18 gun of unidentified Luftwaffe unit on firing position, Metaxas's Line, Greece, April 1941.* **[CAW]**

Armata 8,8 cm Flak 18 z nieustalonej jednostki Luftwaffe na stanowisku bojowym w Bułgarii, kwiecień 1941 roku. *An 8.8cm Flak 18 gun of unidentfied Luftwaffe unit on firing position in Bulgaria in April 1941.* **[CAW]**

which powerful 88mm guns were silently placed on the bank of the Rhine river to fire straight at the French casemates located on the river bank.

On June 15th, at 9.00 a.m the whole of the German bank erupted with artillery fire. The 88mm *Flak* guns brought down and began firing directly at the casemates on the other bank of the river.

During the night of 15th/16th of June, 1940 88mm *Flak* guns were brought across the Rheine river and got into new positions.

One 88mm *Flak* gun opened fire against *"Blockhaus 703"* and scored a few direct hits on the main observation coupola. One coupola was disabled by direct hits from an 88mm *Flak*. In the morning June 17th, 1940 many 88mm *Flak* were firing straight at the casemate.

The results of the battle for the Maginot Line and the Citadel of Boulogne gave clear indications of the tactics and utility of the 88mm *Flak* gun against strongly fortified defensive positions.

The 1st *Flak Corps* destroyed 372 French and British aircraft, 252 aircraft destroyed on the ground, 47 tanks, 30 fortifications and a ship. IInd *Flak Corps* supporting units of the 4th and the 6th Army shot down 214 aircraft and hit 284 tanks, 17 forts and 7 ships. German 88mm guns destroyed Greek fortification on Metaxas's Line.

Rommel's *Deutsches Afrika Korps* were supported with *Flak* units armed with **8.8cm Flak 18/36/37** guns.

Afrika Korps had developed to a decisive point what was to prove a continuing advantage on the battlefield throughout the desert campaign. This was the employment of the 88mm gun in an anti-tank role, first from fixed positions and later as a mobile element within the rapidly moved armoured engagements. By early June 1941 Rommel had emplaced his 88s, in some half-dozen dug-in strongpoints which ran in a curve from Halfaya Pass south to Hafid Ridge. Their presence was a shattering surprise for the British.

The Halfaya Pass garrison had dug-in their anti-tank guns, including the twelve deadly 88s, until the barrels lay along the top of the low sand walls, being almost invisible. Commanding a section of two 88s was *Oberleutnant* Schwabach. The *Berliner Illustrierte Zeitung* published an account of the action at Halfaya later in 1941.

U góry. Wyładunek armaty 8,8 cm Flak 18 z 1. Dywizjonu 33. Pułku Artylerii Przeciwlotniczej w porcie w Trypolisie, luty 1941 roku. *Top. Unloading an 8.8cm Flak 18 gun of the 1st Abteilung 33rd Flak Regiment (Luftwaffe) in Tripoli harbor, Libya, February 1941.* **Powyżej. Armata 8,8 cm Flak 18 z 1. Dywizjonu 33. Pułku Artylerii Przeciwlotniczej (Luftwaffe), Libia, luty 1941 roku.** *Above. An 8.8cm Flak 18 gun of the 1st Abteilung 33rd Flak Regiment (Luftwaffe) in Libya in February 1941.* **[CAW]**

Armata 8,8 cm Flak 36 z 1. Dywizjonu 33. Pułku Artylerii Przeciwlotniczej (Luftwaffe), Libia, lato 1941 roku. *Above. An 8.8cm Flak 36 gun of the 1st Abteilung 33rd Flak Regiment (Luftwaffe) in Libya, Summer 1941.* **[CAW]**

18 baterii skoncentrowanych wokół Warszawy ostrzeliwało stolicę Polski. Baterie armat kalibru 88 mm wspierały też działania piechoty niemieckiej w czasie bitwy nad Bzurą. 4 września niemieckie baterie przeciwlotnicze zestrzeliły jednego lub dwa brytyjskie bombowce **„Wellington"**, atakujące niemieckie krążowniki liniowe *„Schranhorst"* i *„Gneisenau"* w śluzie Brünsbüttel. 3 października armaty kalibru 88 mm z 84. Dywizjonu Przeciwlotniczego zestrzeliły francuskiego **Poteza 637**. W nocy z 15 na 16 października armaty kalibru 88 mm zestrzeliły brytyjskiego **„Whitley'a"** nad Frankfurtem i francuskiego **Amiota 143BN4** z *GB. 1/34* nad Mayence.

32 zmotoryzowane baterie przeciwlotnicze zostały zgrupowane w I. i II. Korpusie Przeciwlotniczym przeznaczonym do współdziałania z jednostkami zmotoryzowanymi i pancernymi.

W czasie kampanii na Zachodzie I. i II. Korpus Przeciwlotniczy były używane w pierwszej linii. Poszczególne baterie przeciwlotnicze, gdy zachodziła konieczność, zwalczały cele naziemne np. bunkry. I. Korpus prowadził osłonę przeciwpancerną i przeciwlotniczą jednostek *Panzergruppe „Kleist"*, natomiast II. Korpus Przeciwlotniczy, sformowany 1 października 1939 roku, w ramach 2. Floty Powietrznej jednostek 4. i 6. Armii. Pojedyncze działony armat kalibru 88 mm walczyły w pierwszej linii, niszcząc bunkry i odpierając ataki francuskich czołgów ciężkich, osiągając doskonałe efekty w ich zwalczaniu. Zazwyczaj tylko kilka celnych pocisków wystarczyło do unicestwienia załogi francuskiego lub belgijskiego bunkra, albo zniszczenia czołgu.

Załadunek armaty 8,8 cm Flak 18 z nieustalonej jednostki Luftwaffe w porcie w Neapolu, 1941 rok. *An 8.8cm Flak 18 gun of unidentified Luftwaffe unit is loaded on a ship in Naples harbor, 1941.* **[CAW]**

W walkach o umocnioną cytadelę w Boulogne wyróżniła się bateria „**88**" dowodzona przez porucznika Horsta Harrasa.

22 maja 1940 roku armaty 88 mm z 1. kompanii *Flak Lehr Regiment* ostrzelały z najbliższej odległości atakujące czołgi **Char B1bis**. W ciągu niewielu minut unieruchomiły 7 czołgów z 1. Dywizji Pancernej. Dwa dni wcześniej duża grupa czołgów z 29. Pułku Dragonów i 39. Batalionu Czołgów wpadła w zasadzkę ogniową 1. Dywizjonu Pułku Artylerii Przeciwlotniczej *„General Göring"*. Kilka armat **Flak 18** umieszczonych na stałych pozycjach ochraniało sztab 4. Dywizji Pancernej. 20 maja armaty z I. Dywizjonu 19. *Flak Regiment* wspierały walki 365. i 211. Pułku Piechoty, szturmujących francuskie umocnienia w Malone. Niemieckie armaty 88 mm skutecznie niszczyły umocnienia francuskie, zaś rankiem 23 maja armaty 88 mm unieszkodliwiły kilka pancernych kopuł.

Cytat z raportu bojowego 7. Dywizji Pancernej przedstawia działania tej jednostki 21 maja 1940 roku.

„Ostatecznie ciężki atak przeprowadzony przez brytyjskie czołgi piechoty „Matilda" II Mk I został zatrzymany w ogniu wszystkich baterii z 78. Pułku Artylerii, 86. Lekkiego Dywizjonu Przeciwlotniczego (Heer) dowodzonego przez majora Dohradera, trzech baterii z 59. Pułku Artylerii Przeciwlotniczej dowodzonych przez kapitana von Hirschfielda i baterii armat 88 mm z 23. Flak Regiment. Po stracie wielu czołgów nieprzyjaciel cofnął się do Arras". Niemieckie armaty **Flak 18/36** zniszczyły cztery czołgi **„Matilda" II Mk I** z 4. i 7. *Royal Tank Regiment.*

28 maja armaty 88 mm z 64. Dywizjonu Artylerii Przeciwlotniczej zniszczyły kilka czołgów ciężkich **Char B1bis** z 4. Dywizji Pancernej generała de Gaulle'a.

"14 Mark II tanks appear. They advance slowly, stop, fire, and approach again. Their superstructutre is low, the strong turret nearly invulnerable. The caterpillar tracks are protected by thick steel plates. The tank on the far right, comes the order.

In the bursting of the shell the British steel case turns. Its body shows a hole big as a fist. Smoke, fire, and dirt lie over the earth. Three men jum.p out of the turret, but are dashed to the ground by the next shell.

The enemy defends himself desperately. They give as good as they get. Bravely they fire until the last gasp. But one Mark II after another is put out of action or had to fall back seriously damaged.

Suddenly the battery "Schwabach" rushed forward. They have detected an open spot on the enemy's flank and intend to get him there to cut off his retreat. Either the tanks are not able to follow so quickly, or are so heavuily engaged with the foe thet they not apprehend the intention of Schwabach at once, but then they try to encircle the two guns.

Right at the beginning the ammunition tractor gets a direct hit. In the burst of explosion, a flame leaps high up, and now it rattles around the tractor, spiting fire, raining iron. The crew has to take cover. Only the second gun is left in action. The crew does not turn the head even. They know the last thought must be aimed at the enemy, and not at their own safety. Thus they succed in defeating the enemy's purpose. He is forced to withdraw. Seven Mark II's are destroyed."

Previously the **"Matilda"**, with its 78mm of frontal armour, had dominated the battlefield, but the *DAK* now possessed an answer. In the attack on Halfaya Pass on June 15th, 1941 15 out 18 su-pporting **"Matildas"** were destroyed.

Yet this lethal use of the 88mm should not have come as a shock. Pre-war intelligence reports had indicated that during exercises in

Armata 8,8 cm Flak 18 z 1. Dywizjonu 33. Pułku Artylerii Przeciwlotniczej (Luftwaffe) w akcji, Libia, 1941 rok. Ładowniczy wyjmuje pocisk z jaszcza umieszczonego w ciągniku. *Above. An 8.8cm Flak 18 gun of the 1st Abteilung 33rd Flak Regiment (Luftwaffe) in Libya in 1941. A loader take away a shell from a container fitted in a tractor.* **[CAW]**

U góry. Wymiana opony w podwoziu armaty 8,8 cm Flak 18, Libia, 1941 rok. *Top. Changing a tyre on the chassis of 8.8cm Flak 18 gun in Libya in 1941.* **Powyżej. Armata 8,8 cm Flak 18 z 1. Dywizjonu 33. Pułku Artylerii Przeciwlotniczej (Luftwaffe), przełęcz Halfaya, Libia, czerwiec 1941 roku.** *Above. An 8.8cm Flak 18 gun of the 1st Abteilung 33rd Flak Regiment (Luftwaffe), Halfaya Pass, Libya, June 1941.* **[CAW]**

Dwie fotografie armat 8,8 cm Flak 18 z 1. Dywizjonu 33. Pułku Artylerii Przeciwlotniczej (Luftwaffe) w akcji w Libii w 1941 roku.
Two photos of the 8.8cm Flak 18 gun of the 1st Abteilung 33rd Flak Regiment (Luftwaffe) in action in Libya in 1941. **[CAW]**

Armata 8,8 cm Flak 18 z 1. Dywizjonu 18. Pułku Artylerii Przeciwlotniczej (Luftwaffe), Libia, 1941 rok. *Above. An 8.8cm Flak 18 gun of the 1st Abteilung 18th Flak Regiment (Luftwaffe)in Libya in 1941.* **[CAW]**

W czasie oparacji *„Kleine Bär"* została sformowana specjalna jednostka artylerii przeciwlotniczej – *Flakbrigade „Veith"*. W skład brygady weszło 17 baterii armat kalibru 88 mm. Większość baterii **„88"** skrycie ustawiono na brzegu Renu tak, aby francuskie kazamaty ostrzeliwać ogniem na wprost.

15 czerwca o 9.00 rano artyleria niemiecka rozpoczęła skoncentrowany ogień. Armaty 88 mm ostrzeliwały bezpośrednio francuskie umocnienia nadbrzeżne. W nocy z 15 na 16 czerwca część armat 88 mm została skrycie przeprawiona przez rzekę i umieszczona na nowych pozycjach.

Jedna armata otworzyła ogień przeciwko *„Blockhausowi 703"* kilkakrotnie trafiając główną wieżyczkę obserwacyjną. Inna wieżyczka została unieruchomiona w wyniku bezpośredniego trafienia celnym pociskiem kalibru 88 mm. Rankiem 17 czerwca 1940 roku wiele armat bezpośrednio ostrzeliwało otwory strzelnicze francuskich bunkrów.

Rezultaty walk o przełamanie Linii Maginota i zdobycie cytadeli w Boulogne dały wyraźne wskazówki na temat zasad użycia i taktyki walki armat 88 mm przeciwko silnie umocnionym nieprzyjacielskim pozycjom obronnym.

I. Korpus Artylerii Przeciwlotniczej zestrzelił podczas kampanii na zachodzie 372 samoloty alianckie, 252 samoloty zniszczył na ziemii, 47 czołgów, 30 bunkrów i zatopił okręt. II. *Flak Korps* wspierający działania 4. i 6. Armii zestrzelił 214 samolotów, trafił 284 czołgów, 17 bunkrów i 7 statków.

W czasie kampanii bałkańskiej **„88"** przyczyniły się do przełamania greckich umocnień na tzw. Linii Metaxasa.

Także *Deutsches Afrika Korps* był wspierany przez jednostki artylerii uzbrojone w armaty **Flak 18/36** kalibru 88 mm. Armaty tego typu odegrały w walkach w Afryce dominującą rolę jako śmiertelna broń przeciwpancerna. Początkowo **„88"** były umieszczane na stałych stanowiskach bojowych, zaś później używano ich także w działaniach manewrowych, w takim

Germany and Spanish Civil War the gun was being employed in this novel fashion, while practical experience in France in 1940 (Arras) had revealed its capability in action. British commanders were blinded by their own reluctance to use the 94mm **Vickers** AA gun in a similar role. This excellent British equivalent of the 88mm was never pushed beyond the stage of half-hearted experiment as an anti-tank gun.

Not only *Wehrmacht* and *Luftwaffe* units were armed with **8.8cm Flak 18/36/37** guns. On August 18th, 1940 in Metz the 6th Batterie *SS-Artillerie Regiment "Leibstandarte SS Adolf Hitler"* was formed from the *SS Artillerie Ersatz Regiment*. During Balcan campaign the 6th Batterie of the 2nd *(schwere) Abt. Artillerie Regiment SS-Brigade "Leibstandarte SS Adolf Hitler"* were used to directly fire against Yugoslav army positions on the border between Yugoslavia and Greece and support the *Kampfgruppe "Witt"* along the road Niki-Vevi. On April 11th, 1941 the 88mm *Flak* guns were used west of Lofi to reinforce the 3rd Battalion *SS-Brigade "LSSAH"*. After Balcan campaign the artillerie received another heavy 88mm *Flak Batterie* designed the 7th *Batterie Artillerie Regiment "LSSAH"*.

In Operation *"Barbarossa"* **8.8cm Flak 18/36** guns reinforced the 3rd Battalion of the *SS-Brigade "LSSAH"*. On July 2nd, 1941 battalion reached Charłupy railway station. The battailon had to withstand several enemy attacks from the southeast. In the action, 26 enemy tanks and one heavy **KV-I** type were destroyed.

On August 20th, 1941 the reinforced 3rd Battailon received orders to send a reinforced company to clear the north bank of the Dniepr river west of Cherson of the enemy. During this operation **88mm Flak 18** gun crew sunk a Soviet river gunboat.

During the attack on Sisjakow a loaded Soviet supply train pulled into the railway station from the north. The 88mm *Flak* fired upon the locomotive and brought the train to a stop. In this action the CO of the 7th Batterie *SS-Haupsturmführer* Naumann was seriously wounded. The captured train was fully loaded with trucks and tracprzypadku armaty niejednokrotnie prowadziły ogień bezpośrednio z podwozi kołowych (nawiasem mówiąc było to zabronione przez regulamin strzelań).

Rommel, oczekując spodziewanej kontrofensywy alianckiej, na początku czerwca 1941 roku rozkazał rozmieścić 6 armat w zamaskowanych, wzmocnionych pozycjach na przełęczy Halfaya i dalej w kierunku południowym aż do grzbietu Hafid. Brytyjczycy nie mieli żadnych informacji o zamaskowanych stanowiskach „**88**".

Ponadto w rejonie przełęczy znajdowało się dalszych 12 armat kalibru 88 mm. Były doskonale zamaskowane, ich stanowiska zdradzały tylko lufy ukryte tuż nad osłoną stanowisk armat. Dwoma wysuniętymi armatami dowodził porucznik Schwabach.

Atak 4. Brygady Pancernej zakończył się pogromem dobrze opancerzonych **„Matild" II Mk II**. Tylko szwadron *„B"* z 4. *RTR* stracił 15 z 18 atakujących czołgów. Po dwóch dniach walk Brytyjczycy utracili 64 czołgi **„Matilda"**. Trzeba w tym miejscu dodać, że chociaż był to szok, to jednak dowództwo brytyjskie posiadało informacje wywiadowcze o takim zastosowaniu armat „**88**" zarówno w Hiszpanii, jak i podczas kampanii francuskiej. Dowództwo brytyjskie nie zastosowało na szerszą skalę w podobnym celu swoich armat przeciwlotniczych **3.7in** (94 mm), które mogły niszczyć pojazdy *Panzerwaffe*. Poprzestano jedynie na próbach, natomiast nigdy brytyjski armaty 94 mm nie zostały użyte do zwalczania broni pancernej.

Nie tylko *Wehrmacht* i *Luftwaffe* dysponowały armatami „**88**". 18 sierpnia 1940 roku w Metzu została sformowana 6. Bateria w Pułku Artylerii *SS „LSSAH"*. W czasie kampanii bałkańskiej armaty z brygady *„LSSAH"* zostały wykorzystane do niszczenia pozycji armii jugosłowiańskiej na granicy z Grecją i wsparcia ogniowego *Kampfgruppe „Witt"*, operującej na drodze z Niki do Vievi.

Porucznik Schwabach (z prawej) z 1. Dywizjonu 33. Pułku Artylerii Przeciwlotniczej przy zniszczonym czołgu „Gangster" z 7. RTR, przełęcz Halfaya, czerwiec 1941 roku. *Oberleutnant Schwabach (right) of the 1st Abteilung 33rd Flak Regiment (Luftwaffe) inspect one of his many kills "Gangster" of 7th RTR, Halfaya Pass, June 1941.* **[CAW]**

Ciągnik Sd Kfz 7 Zugkraftwagen 8t KMm 11 holuje armatę 8,8 cm Flak 18 z nieustalonej jednostki artylerii przeciwlotniczej Luftwaffe, front wschodni, lato 1941 roku. *A Sd Kfz 7 Zugkraftwagen 8t KMm 11 tractor towing an 8.8cm Flak 18 gun of unidentified Luftwaffe AA artillery unit, Eastern Front, Summer 1941.* **[CAW]**

Ciągnik Sd Kfz 7 Zugkraftwagen 8t KMm 11 holuje armatę 8,8 cm Flak 18 z nieustalonej jednostki artylerii przeciwlotniczej Luftwaffe, front wschodni, lato 1941 roku. *A Sd Kfz 7 Zugkraftwagen 8t KMm 11 tractor towing an 8.8cm Flak 18 gun of unidentified Luftwaffe AA artillery unit, Eastern Front, Summer 1941.* **Powyżej Armata 8,8 cm Flak 18 w akcji, front wschodni, 1941 rok.** *Above. An 8.8cm Flak 18 gun in action, Eastern Front, 1941.* **[CAW]**

U góry i strona 27. Armata 8,8 cm Flak 18 w akcji, front wschodni, 1941 rok. Na pierwszym planie żołnierze z dalmierzem *Above and on page 27. An 8.8cm Flak 18 gun in action, Eastern Front, 1941. In the foreground a soldier with rangefinder.* **Powyżej. Doskonale zamaskowana armata 8,8 cm Flak 36, front wschodni, 1941 rok.** *Above. A well-camouflaged 8.8cm Flak 36 gun, Eastern Front, 1941.* **[CAW]**

Opuszczanie podpory i poziomowanie armaty 8,8 cm Flak 36, front wschodni, 1941 rok. *An 8.8cm Flak 36 gun is levered. One of the four outrigger is located on the ground.*

tors. On October 6th, 1941 in Romanowka the6th Battery commanded by *SS-Haupsturmführer* Fend destroyed a few Soviet tanks attacking Recce Battalion *"LSSAH"*. Next day 88mm *Flak* guns covered left wing and fired Soviet strong columns on the road leading north. During fighting for a crossina over the Mius river heavy Flak guns covered crossing area against attacking Soviet aircraft.

For the capture of Taranrog the 7th Battery moved forward behind the 3rd Battalion. On the order of CO *SS-Ostuf.* Gille the battery was to move into position on the open terrain in front of the railway embankment. Suddenly the leading forces were broken by the approach of two Soviet armoured trains. One 88mm gun moved into position at the last houses before the open ground between the town and the railway line. The second heavy gun on the right-hand side of the train from a position of 200 metres to the right of the first gun and began firing immediately. After 15 rounds of anti-tank ammunition, the four cupolas flew into the air, and the train's own ammunition exploded.

After the succesful use of heavy 88 AA guns by the *Luftwaffe* as dual-purpose weapons during the French Campaign, the *Wehrmacht* decided that it needed heavy anti-aircraft artllery battalions under its direct control, and not subject to the "whims" of the *Luftwaffe*. The battalions were organised by Artillery Inspectorate, as opposed to the light 20mm and 37mm anti-aircraft units, which came directly under the Infantry Inspectorate. There were 10 *Heeres Flakartillerie Abteilung (motorisiert)*. The 271st, 272nd, 274th, 276th *Heeres Flakartillerie Abteilung* were attached to Army Group *"Center"*, the 273rd and 280th *Heeres Flakartillerie Abteilung* were attached to Army Group *"Nord"* and finally the 275th, 277th, 278th and 279th *Heeres Flakartillerie Abteilung* were attached to Group Army *"Süd"*. Each battalion contained three heavy batteries or two heavy batteries and one light company.

The famous heavy Flak unit was the 1st (schwere) *Flak Abteilung "General Göring" Regiment* formed in October 1937. Commanding officer was *Hauptmann* Hullmann, CO of the 1st Battery – *Hauptmann* Rösner, of the 2nd Battery *Oblt.* Geicke and of the 3rd Battery *Oblt.* Schröder.

Zamaskowana armata 8,8 cm Flak 18 na ulicy w Mitawie, Łotwa, sierpień 1941 roku. *A camouflaged 8.8cm Flak 18 gun on the street of Mitava, Latvia, August 1941.* **[CAW]**

11 kwietnia 1941 roku armaty kalibru 88 mm wspierały III. batalion Brygady *SS „LSSAH".* Po zakończeniu kampanii bałkańskiej brygada otrzymała drugą jednostkę – 7. Baterię armat **8,8 cm Flak 36** kalibru 88 mm.

We wczesnej fazie operacji *„Barbarossa"* armaty **„88"** wspierały ponownie III. batalion. 2 lipca przyczyniły się do odparcia silnych ataków wojsk sowieckich na stację kolejową Chałupy. Armaty zniszczyły wówczas 26 czołgów sowieckich w tym jeden ciężki typu **KW-I**.

20 sierpnia „**88**" wzmocniły II. Batalion i kompanię wysłaną na wschodni brzeg Dniepru, na zachód od Chersonia. Artylerzyści *SS* zatopili tam sowiecką kanonierkę rzeczną. W czasie ataku na Sisjakowo armaty ostrzelały i zatrzymały sowiecki pociąg z zaopatrzeniem. W czasie tej akcji poważnie ranny został dowódca 7. baterii *SS-Hustuf.* Naumann.

6 października w Romanowce 6. bateria dowodzona przez *SS-Hustuf.* Fendta zniszczyła kilka czołgów sowieckich atakujących batalion rozpoznawczy brygady. Armaty osłaniały skrzydło, niedopuszczając do ataku silnej kolumny wojsk sowieckich. W czasie walk nad rzeką Mius armaty osłaniały forsowanie rzeki, chroniąc przeprawę przed atakami samolotów.

W czasie walk o zdobycie Taranrogu 7. bateria została wysunięta do przodu przed III. Batalion. Na rozkaz dowódcy baterii *SS-Osuf.* Gille bateria zajęła stanowiska na otwartym terenie naprzeciwko towarowej stacji kolejowej. Nagle wysunięte oddziały zostały odcięte przez dwa sowieckie

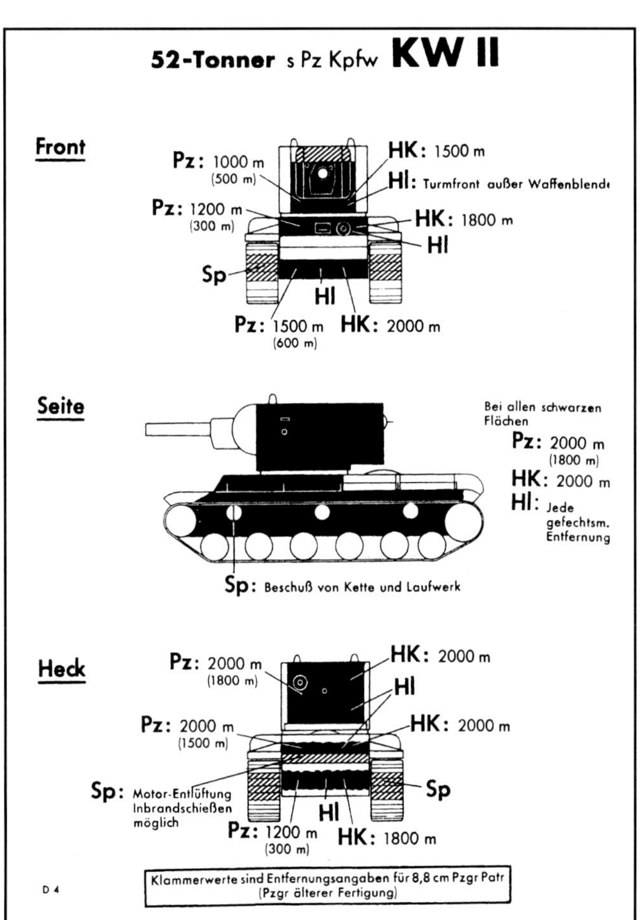

Schemat zwalczania sowieckiego czołgu KW-II.
The firing schematics against Soviet KV-II tank.

8,8 cm Flak 18 holowana przez ciągnik Sd Kfz 7 pokonuje Dniepr po moście kolejowym, wrzesień 1941 roku. *An 8.8cm Flak 18 gun towed by a Sd Kfz 7 tractor crossing the river Dniepr on railway bridge, September 1941.* **Poniżej. Armata 8,8 cm Flak 36 w akcji na Ukrainie, jesień 1941 roku.** *Below. An 8.8cm Flak 36 gun in action, Ukraine, Autumn 1941.* [CAW]

U góry. Ciągnik Sd Kfz 7 z armatą 8,8 cm Flak 18, Ukraina, jesień 1941 roku. *Top. An 8.8cm Flak 18 gun and Sd Kfz 7 tractor, Ukraine, Autumn 1941.* **Powyżej. Armata 8,8 cm Flak 36 holowana przez ciągnik Sd Kfz 7 z nieustalonej jednostki, front wschodni, listopad 1941 roku.** *Above. An 8.8cm Flak 36 gun towed by Sd Kfz 7 tractor of unidentified unit, Eastern Front, November 1941.* **[CAW]**

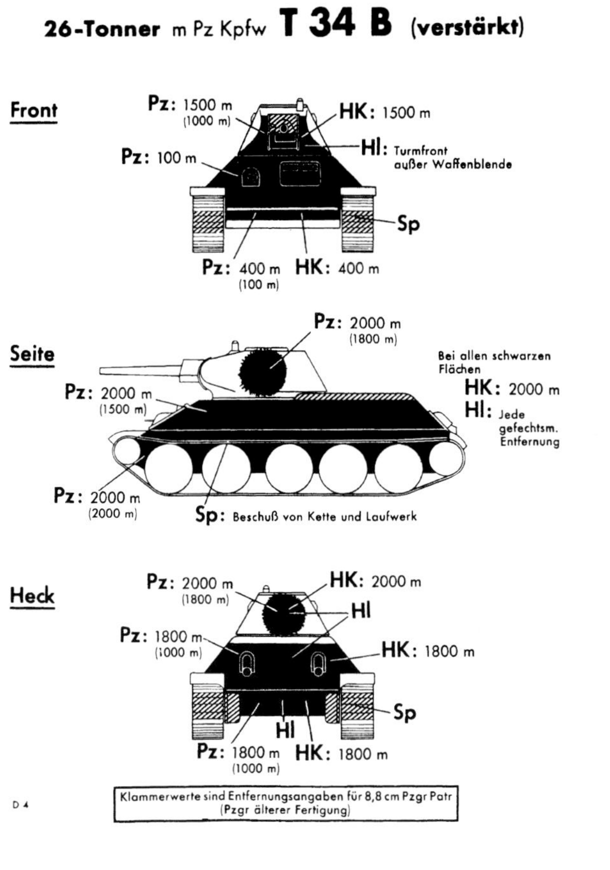

Schemat zwalczania sowieckiego czołgu T-34/76.
The firing schematics against Soviet T-34/76 tank.

During the Polish campaign the 1st Battalion was deployed around Berlin to protect the Reich capital (Wildpark-Werder-Bötzow). The 1st Battalion was placed under the command of the newly formed 1st *Flak Corps* and took part in the Western Campaign. Unit had a cover name *"103rd Flak Regiment"*. The 1st Battalion took part in the piercing Dyle. In the tank battle of Gembloux fighting against attacking French tanks. 3rd and 5th Batteries destroyed a few French **Renault D2** tanks. On May 20 th, near Solre-le-Chateau German guns were attacked by French tanks. 88s fired directly on their wheeled chassis. The Ist Battalion distinguished itself in the battles at Somme and Aisne.

In September 1940 the 1st Battalion returned to Germany where it was commited to the air defence of Berlin in *Flak Gruppe West*. Many Flak units in the West were withdrawn as part of this strenghening of Berlin's defenses. Ist Battalion participated, on the night of October8th, 1940 in the defence against the heaviest *RAF* bomber attack.

In April 1941 1st Battalion was transferred to Romania. The whole *"General Göring" Regiment* was only limited to defending the Ploesti area against air attacks. In June 1941 in *"General Göring" Regiment* IInd Battalion 43rd Flak Regiment was incorporated with there **88mm Flak** batteries with 12 guns. In the tank battle near Radziechów on 23rd of June 1941 *Hauptmann* Schröder CO of 3rd Batterywas killed. The 3rd Battery destoyed 9 Soviet tanks including two 52-tons **KV-II** armed with 152mm howitzer. Unit participated in the tank battle near Dubno on the 29th of June, 1941.

The OKW communique of the 7th July, 1941 declared:

"A battery of the "General Göring" Flak Regiment under the command of Hauptmann Schulz and Leutnant Wilmskötter distinguished itself in the tank battle near Dubno. "

On the 2nd September, 1941 heavy battery firied on Soviet position on Dniepr.

Many **88mm Flak** batteries were used in defence of Germany, defending many targets against British bombers.

Armata 8,8 cm Flak 36 w akcji, widoczne dwa płonące czołgi sowieckie, front wschodni, lipiec 1941 roku. *An 8.8cm Flak 36 gun in action on Eastern Front in July 1941. In the background two burning Soviet tanks.* **[CAW]**

Armata 8,8 cm Flak 18 w akcji, rejon Wielkich Łuków, front wschodni, wrzesień 1941 roku. *An 8.8cm Flka 18 gun in action, Wielkie Luki area, Eastern Front, September 1941.* **[CAW]**

pociągi pancerne. Jeden z działonów zajął pozycję pod osłoną wysuniętego domu między miastem a linią kolejową. Drugi zaś zajął pozycję bardziej na prawo od pierwszej armaty i natychmiast rozpoczął ostrzał. Po oddaniu 15 strzałów i zniszczeniu czterech wież pancernych eksplodowała amunicja w pociągu pancernym.

Po sukcesach jednostek *Luftwaffe,* używających armat kalibru 88 mm, także jednostki *Wehrmachtu* rozpoczęły formowanie dywizjonów armat przeciwlotniczych kalibru 88 mm tak, aby posiadać swoje „własne" jednostki ciężkiej artylerii przeciwlotniczej. Do tej pory armia lądowa dysponowała tylko dywizjonami lekkich armat kalibru 20 i 37 mm sformowanymi przez Inspektorat Piechoty. Sformowano 10 zmotoryzowanych dywizjonów ciężkiej artylerii przeciwlotniczej. 271., 272., 274 i 276. *Heeres Flakartillerie Abteilung* przydzielono do Grupy Armii „Środek", 273. i 280. *Heeres Flakartillerie Abteilung* przydzielono do Grupy Armii „Północ", zaś 275., 277., 278. i 279. *Heeres Flakartillerie Abteilung* przydzielono do Grupy Armii „Południe". Każdy dywizjon składał się z trzech baterii, lub z dwóch baterii ciężkich i kompanii lekkiej.

W październiku 1937 roku został sformowany I. Dywizjon Artylerii Przeciwlotniczej w pułku *„General Göring".* Dowódcą dywizjonu został *Hauptmann* Hullmann, 1. baterią dowodził kapitan Rösner, 2. baterią por. Geicke, zaś 3. baterią por. Schröder. We wrześniu 1939 roku dywizjon zajmował stanowiska w rejonie Wildpark-Werder-Bötzow w systemie obrony przeciwlotniczej Berlina. Następnie I. Dywizjon został włączony do nowo sformowanego I. Korpusu Przeciwlotniczego i pod dezinformującym oznaczeniem 103. Pułk Artylerii Przeciwlotniczej brał udział w kampanii francuskiej. W czasie bitwy pod Gembloux, 13-14 maja 1940 roku, zwalczał francuskie czołgi. 3. i 5. bateria zniszczyły kilka czołgów **Renault D2**.

Armata 8,8 cm Flak 18 z jednostki artylerii przeciwlotniczej Luftwaffe, Niemcy, 1941 rok. *An 8.8cm Flka 18 gun of unidentified Luftwaffe AA artillery unit in Germany in 1941.* **[CAW]**

Powyżej. Przeprawa armaty 8,8 cm Flak 18 przez rzekę, front wschodni, 1941 rok. *Above. An 8.8cm Flak18 gun crossing a river, Eastern Front, 1941.* **Ciągnik Sd Kfz 7 holuje armatę 8,8 cm Flak 18, Ukraina, lato 1941 roku.** *An Sd Kfz 7 tractor towed 8.8cm Flak 18 gun, Ukraine, Summer 1941.* [CAW]

Powyżej i na stronie 33. Armata 7,5 cm Flak L/60. *Above and on page 33. An 7.5cm Flak L/60 gun.*

Po zakończeniu kampanii we Francji, we wrześniu 1940 roku, I. dywizjon powrócił do Niemiec. Został włączony do systemu obrony Berlina w składzie tzw. *Flak Gruppe „West"* i uczestniczył w odparciu ciężkiego nalotu na stolicę Rzeszy 8 października 1940 roku.

W kwietniu 1941 roku dywizjon został przeniesiony do Rumunii i osłaniał rejon Ploesti. W czerwcu 1941 roku do pułku *„General Göring"* jako II. Dywizjon został włączony I. Dywizjon 43. *Flak Regiment* uzbrojony w trzy baterie armat 88 mm. 23 czerwca w czasie bitwy z czołgami sowieckimi pod Radziechowem poległ dowódca 3. Baterii kapitan Schröder. 3. bateria zniszczyła 9 czołgów w tym dwa ciężkie **KW-II** uzbrojone w haubice kalibru 152 mm. Jednostka brała też udział w bitwie pancernej pod Dubnem 29 czerwca 1941 roku. Komunikat OKW z 7 lipca 1941 roku informował:

„Bateria z Pułku Artylerii Przeciwlotniczej „General Göring" dowodzona przez kapitana Schulza i podporucznika Wilmsköttera odznaczyła się podczas bitwy pancernej pod Dubnem."

2 września baterie pułku ostrzeliwały pozycje wojsk sowieckich nad Dnieprem.

Baterie armat 88 mm stanowiły także trzon obrony przeciwlotniczej Rzeszy i co noc odpierały ataki bombowców *RAF-u* na cele na terenie NIemiec i krajów okupowanych.

ROZWÓJ I KONSTRUKCJA

Podczas I wojny światowej armia niemiecka wprowadziła douzbrojenia kilka nowoczesnych (na owe czasy) armat przeciwlotniczych na podwoziach kołowych. Niektóre z nich posiadały podwozia samochodowe. W roku 1916 firmy *Rheinmetall* i *Krupp* skonstruowały dwa typy 88 mm kawaleryjskich armat plot na podwoziu czterokołowym oraz na platformie kolejowej. W czasie wojny zakłady *Kruppa* wyprodukowały 180 sztuk tych armat.

DEVELOPMENT AND CONSTRUCTION

During the WW I the German army introduced a few modern AA gun on wheeled chassis. Some guns were also fitted on truck chassis. In 1916 *Rheinmetall* and *Krupp* designed two types of **8.8cm Kavallerie Flak** on four-wheeled chassis or on railway flatcar. During WW I 180 *Krupp* 88mm AA gun were manufactured.

After the WW I the German army *Reichswehr* was was forbidden to use any AA weapons and accompanying fire-control devices developed up to that time. After the Geneva Convention of 1932, at which Weimar Republic was reognized as having an equal standing to other states, the development of AA guns and AA units within the army (and next in the air force) could begin. In 1933 the new **Flak L/60** 75mm was introduced, and next replaced by the famous 88mm **Flak 18**.

The model designation "**18**" was applied to all these weapons to conceal the developments that had been carrier earlier during the WW I, before the arms limitation of 1920.

In 1936 the first improved **8.8cm Flak 36** guns reached the *Luftwaffe* units. The mounting platform was now rectangular. The barrel construction was not restrictive in terms of the gun's designation, for the **8.8cm Flak 18** barrel was ballistically and dimensionally identical to that of the **8.8cm Flak 36** and the two were interchangeable. The features that made the two gun types different were found in the outriggers. The new gun consisted of a three-section inner barrel (loading chamber, rear and forward sections), held together by a double jacket and a tension ring. The front and the rear spars of the **8.8cm Flak 36** were now identical. The two limbers of the **Sd Anh 202** trailer both carried dual wheels now (old **Sd Anh 201** trailer had only dual wheels on the rear spar), so that they too were interchangeable, so the gun could be towed in two positions.

The elevation and traverse aiming gear now had a faster speed. Since the spring in the equalizer were stronger now, the elevation aiming gear could be used more easily.

4

Postanowienia traktatu wersalskiego pozbawiły *Reichswehrę* prawa do posiadania broni przeciwlotniczej oraz systemów kierowania ogniem opracowanych do tego czasu. Po Konwencji Genewskiej (1932 rok) Republika Weimarska mogła rozpocząć organizowanie pododdziałów przeciwlotniczych. W 1933 roku do uzbrojenia *Reichwehry* wprowadzono armaty 7,5 cm **Flak L/60** kalibru 75 mm, które zostały zastąpione przez słynne 88 mm armaty plot **Flak 18**. Prototyp „**88**" został opracowany w latach 1930-1931 w oddziale *Kruppa* w Szwecji, bowiem takie prace konstrukcyjne na terenie Niemiec były zakazane.

Nazwa modelu „**18**" została zastosowana w celu mylnego podkreślenia faktu, iż konstrukcja ta powstała podczas poprzedniej wojny światowej, przed ograniczeniami traktatowymi z 1920 roku.

W 1936 roku pierwsza wersja rozwojowa 88 mm armaty o nazwie **Flak 36** wzbogaciła uzbrojenie jednostek artylerii przeciwlotniczej *Luftwaffe*. Podstawa działa była prostokątna. Konstrukcja lufy nie była ograniczona przez konstrukcję całego działa; w porównaniu do lufy armaty **Flak 18** posiadała identyczne średnice i parametry balistyczne i obie lufy były w pełni zamienne. Przyczyny stosowania dwóch wariantów luf wynikały z projektu nowych ogonów łoża dolnego. Nowa lufa składała się z trzech części (komora nabojowa, tylna i przednia część prowadząca) połączonych ze sobą za pomocą podwójnego płaszcza i rozciągliwego pierścienia. Przednia i tylna podpora (noga) łoża dolnego 88 mm armaty **Flak 36** były identyczne. Obie osie podwozia **Sd Anh 202** wyposażono w podwójne koła (starszy typ podwozia **Sd Anh 201** posiadał tylko tylne koła podwójne), dlatego też można było je zamieniać i holować armatę, wykorzystując zamiennie oba wózki podwozia.

Mechanizmy kierunkowy i podniesieniowy posiadały szybsze przełożenia. Także dzięki zastosowaniu silniejszej sprężyny odciążacza operowanie armatą w pionie stało się łatwiejsze.

Just a year later, in 1937, an improved gun with the designation **8.8cm Flak 37** reached the *Luftwaffe* troops. Its improved direction indicator system required the gunners to keep the pointers, which were controlled by the fire control device via the 108-strand remote-control cable, in line.

The gun consists of a jacket, a sleeve, a removable L/56 barrel in three sections, and a breech ring. The three-section tube is held in place by the breech ring in the rear and by a locking collar in the front, both of which are secured to the sleeve. The sleeve is secured to the jacket by a locking ring at the breech end. One of the joints in the three-section liner is in the chamber of the gun and is therefore sealed by the shell case, but the other is located at about one-third of the distance to the muzzle.

The breech mechanidsm is of the horoizontal slidingwedge type, semiautiomatic and self-cocking. As the gun recoils, the mechanism opens, ejects the empty case, and at the same time, compresses the stricker and breechblock operating springs. It is loaded by an automatic rammer used in conjunction with a loading tray. Firing by percussion. The withdrawal of the loading tray will operate the firing mechanism unless set to"hand". The breechblock may be opened and closed manual if desired. The mechanism must be handoperated for loading the first round. Safety devices are incorporated in the mechanism to prevent firing until the breech is in the closed position.

The mount has a platform which rests squarely on the ground when the gun is in the firing position. The platform has four outriggers, with jacks at the outer ends of each for approximate leveling. In the travelling position, the two side legs fold upward. The pedestal is secured to the platform and supports the body through a gimbal ring and body pivot housing. The body, which contains the traverse and elevation gears, supports the cradle on its trunnions and rotates in the housing for azimuth traverse. Accurate crossleveling is accomplished by rocking the body pivot housing in the gimbal ring by means of cross-leveling handwheels on the platform. Thus, 5° movement is possible.

Prototyp armaty 8,8 cm Flak 18 L/56 skonstruowany w szwedzkiej filii zakładów Kruppa, 1931 rok. *The 8.8cm Flak 18 L/56 gun prototype designed in Krupp factory in Sweden in 1931.*

Prototyp armaty 8,8 cm Flak 36 L/56. *The 8.8.cm Flak 36 L/56 gun prototype.*

Rok później do uzbrojenia trafiła armata **8,8 cm Flak 37**. Armata posiadała nowy system wskaźników kierunkowych wymagających od celowniczych kontroli wskaźników, które były sterowane przez urządzenie kierowania ogniem za pomocą 108-żyłowego przewodu zdalnego kierowania.

Armata (lufa) składa się z płaszcza, tulei łączącej, wymiennej trzyczęściowej lufy oraz nasady zamka. Trzyczęściowa lufa była zablokowana w swoim położeniu poprzez pierścień zamka z tyłu i obejmę z przodu, które były dodatkowo zabezpieczone przez tuleje. Nasada zamkowa była przymocowana do płaszcza za pomocą pierścienia, znajdującego się na końcu nasady zamkowej. Jedno ze złączy trzyczęściowej lufy znajdowało się w komorze nabojowej, dlatego też było chronione w czasie strzału przez łuskę naboju. Drugie złącze znajdowało się w 1/3 długości lufy od jej wylotu.

Zamek typu klinowego o ruchu poziomym, półautomatyczny z mechanizmem samonapinania. W czasie odrzutu armaty po strzale zamek otwierał się automatyczne, wyrzucał łuskę i w tym samym czasie napinał ponownie iglicę oraz sprężynę mechanizmu zamykania zamka. Załadowanie naboju do komory odbywało się poprzez dosyłacz z wykorzystaniem korytka ładowniczego. Odpalenie naboju odbywało się w wyniku uderzenia iglicy w spłonkę. Cofnięcie się korytka ładowniczego odbywało się ręcznie. W razie potrzeby zamek mógł zostać otwarty lub zamknięty ręcznie. Do załadowania pierwszego naboju zamek musiał być otworzony ręcznie. Urządzenie zabezpieczające pozwalało na odpalenie naboju tylko przy całkowicie zamkniętym zamku.

The gun slides on the cradle, to which it is connected through the recoil mechanism. The recoil system incorporates a hydraulic buffer below the barrel, and a hydropneumatic recuperator above the barrel. Both cylinders are secured to the cradle, and the pistons are connected to the breech ring. The buffer contains buffer fluid. The recuperator contains fluid and an approximately equal volume of air. Lenght of recoil is variable, being about 1050mm at 0° elevation, and 700mm at 85° elevation. The automatic rammer operates with the return cylinder, loading tray, and actuating mechanism. The internal construction of the return cylinder resembles that of the recuperator on a smaller scale.

A hand-operated fuze setter with two openings is fitted on the left side of the body .

To put the gun in travelling position, the side outriggers are folded upward and secured. A limber and carriage are attached to the platform, which is raised by winches and secured. Some modifications of this gun are capable of being fired from the travelling position at ground targets.

Ammunition

The most frequently used types of ammo were in brief:

88mm anti-personel shell: L 4.5cartridge with nose fuze AZ 23/28 or time fuse Zt/Z S/3,

88mm candle shell: cartridge L 4.4 (a tracer shell with a burning duration of about 23 seconds.

88mm anti-tank shell: PzGr 39 with base fuze.

88mm anti-tank shell: PzGr 40(AP) – only Flak 36 and Flak 41 guns.

Podstawa działa posiadała płytę oporową wykorzystywaną w czasie strzelania. Płyta była wyposażona w cztery ogony zaopatrzone w podnośniki przeznaczone do poziomowania armaty. W pozycji marszowej boczne ogony składały się na obie strony ku górze. Podstawa łoża górnego była zabezpieczana poprzez pierścień przegubowy i oś przegubu. Łoże górne zawierające mechanizmy podniesieniowy i kierunkowy, łączyło się z kołyską poprzez czopy obrotowe i obracało się za pomocą mechanizmu kierunkowego. Dokładność wypoziomowania była znakomita dzięki wahaniu osi przegubu w pierścieniu przegubowym oraz poprzez ręczną regulację pokrętłami.

Zespół lufy przemieszczał się w kołysce, do której przymocowane były elementy oporopowrotnika. Oporopowrotnik składał się z hydraulicznego opornika znajdującego się pod lufą i pneumatycznego powrotnika z uszczelnieniem hydraulicznym znajdującego się nad lufą. Cylindry oporopowrotnika znajdowały się w kołysce, natomiast ich wrzeciona przymocowane były do nasady zamkowej. Opornik wypełniony był cieczą, natomiast czynnikiem roboczym w powrotniku był sprężony gaz. Długość odrzutu była zależna od kąta podniesienia armaty i wynosiła od 1050 mm przy kącie 0° do 700 mm przy kącie 85°, Automatyczny dosyłacz współpracżował z cylindrem powrotnym, korytkiem ładowniczym i mechanizmem uruchamiającym. Wewnętrzna konstrukcja cylindra powrotu była podobna do budowy powrotnika.

Ręcznie obsługiwane urządzenie nastawcze zapalników z dwoma otworami znajdowało się z lewej strony łoża górnego.

Dwie fotografie armaty przeciwlotniczej 8,8 cm Flak 18 przygotowanej do zwalczania samolotów, Francja 1941 rok. *Two photos of 8.8.cm Flak 18 gun ready to firing against aircraft in France in 1941.* **[CAW]**

U góry. Zamaskowana armata 8,8 cm Flak 18 przygotowana do zwalczania czołgów, front wschodni, 1941 rok. *Top. A camouflaged 8.8cm Flak 18 gun in anti-tank position, Eastern Front, 1941.* **Zakopany w błocie ciągnik Sd Kfz 7 i armata 8,8 cm Flka 36, front wschodni, listopad 1941 roku.** *A bogged down in the mud Sd Kfz 7 tractor and 8.8cm Flak 36 gun, Eastern Front, November 1941.* **[CAW]**

W celu przestawienia armaty w położenie marszowe należało złożyć i zebezpieczyć odnóża łoża dolnego, przodki i podwozie, które były przyłączane do łoża dolnego, które byłopodnoszone za pomocą mechanizmu korbowego i zabezpieczane.

W trakcie eksploatacji armaty w armii niemieckiej były dokonywane pewne modyfikacje w celu umożliwienia prowadzenia ognia z pozycji marszowej do celów naziemnych.

Amunicja:

1. 88 mm nabój z pociskiem przeciwpiechotnym L4.5 z zapalnikiem głowicowym *AZ 23/28* i zapalnikiem czasowym *Zt/Z S/3,*
2. 88 mm nabój z pociskiem oświetlającym *L4.4* (smugacz z masą oświetlającą 23 sekundy),
3. 88 mm nabój z pociskiem ppanc *PzGr 39* z zapalnikiem podstawowym,
4. 88 mm nabój z pociskiem ppanc *PzGr 40* (AP) – tylko do armat **Flak 36** i **Flak 41**.

W drugiej części monografii zostanie omówione użycie bojowe armat **8,8 cm Flak 18/36/37/41** od początku 1942 roku do końca wojny, konstrukcja armaty **8,8 cm Flak 41**, informacje na temat jednostek artylerii przeciwlotniczej, wzbogacone schematami organizacyjnymi tych jednostek, ponadto zostaną omówione podstawowe typy ciągników używanych do holowania armat kalibru 88 mm, działa samobieżne uzbrojone w armaty przeciwlotnicze kalibru 88 mm na podwoziu ciągnika **Sd Kfz 8** i samochodu *Vomag*.

Ponadto zostaną przedstawione zasady malowania i oznakowania armat i ciągników, ze szczególnym uwzględniemiem oznaczeń zniszczonego sprzętu wojskowego przeciwnika: samolotów, wozów bojowych.

DANE/DATA	**FLAK 18**	**FLAK 36**
Masa/*Weight*		
Bojowa/*Ready to fire*	4986 kg	5000 kg
Marszowa/*Ready to march*	7000 kg	7200 kg
Marszowa z tarczą i podwoziem/ *Ready to march with sheild and chassis*	7400 kg	7650 kg
Wymiary/*Dimensions*		
Pozycja bojowa/*In firing role*		
Długość/*lenght*	5800 mm	5800 mm
Wysokość/*Height*	2100 mm	2120 mm
Szerokość/*Width*	5140 mm	5185 mm
Wymiary/*Dimensions*		
Pozycja transportowa/*In travelling position*		
Długość/*lenght*	7700 mm	7720 mm
Wysokość/*Height*	2400 mm	2400 mm
Szerokość/*Width*	2190/2300 mm	2320 mm
Kaliber/*Calibre*	88 mm	88 mm
Całkowita długość lufy/*Total lenght of barrel*	4930 mm	4930 mm
Szybkostrzelność/*Rate of fire*	15 min	15-20 min
Załoga/*Crew*	10-11	11-12
Maksymalna donośność/*Maximum ceilling*	9900 m	10 600 m
Maks. donośność pozioma/*Max. range horizontal*	14 680 m	14 700 m
Kąty podniesienia (stopnie)/ *Maximum depression and elevation (degrees)*	-3/85	-3/85
Obrót/*Traverse* (stopni/*degrees*)	360	360
Czas przygotowania do walki (6 osób)/ *Time into action with 6 man crew*	6 min	5 min
Ilość bruzd/*Number of riflings*	32	32
Pr. początkowa pocisku/*Muzzle velocity*	820-840 m/sek	820-840 m/sek
Podwozie/*Chassis*	Sd Anh 201/202	Sd Anh 202

Dane taktyczno-techniczne.
Tactical and technical data.

Armata 8,8 cm Flak 18 z Legionu „Condor", Hiszpania, 1938 rok. *An 8.8cm Flak 18 gun of Legion "Condor" in Spain in 1938.*

Krzyżak łoża dolnego.

Gun carriage witch outriggers.

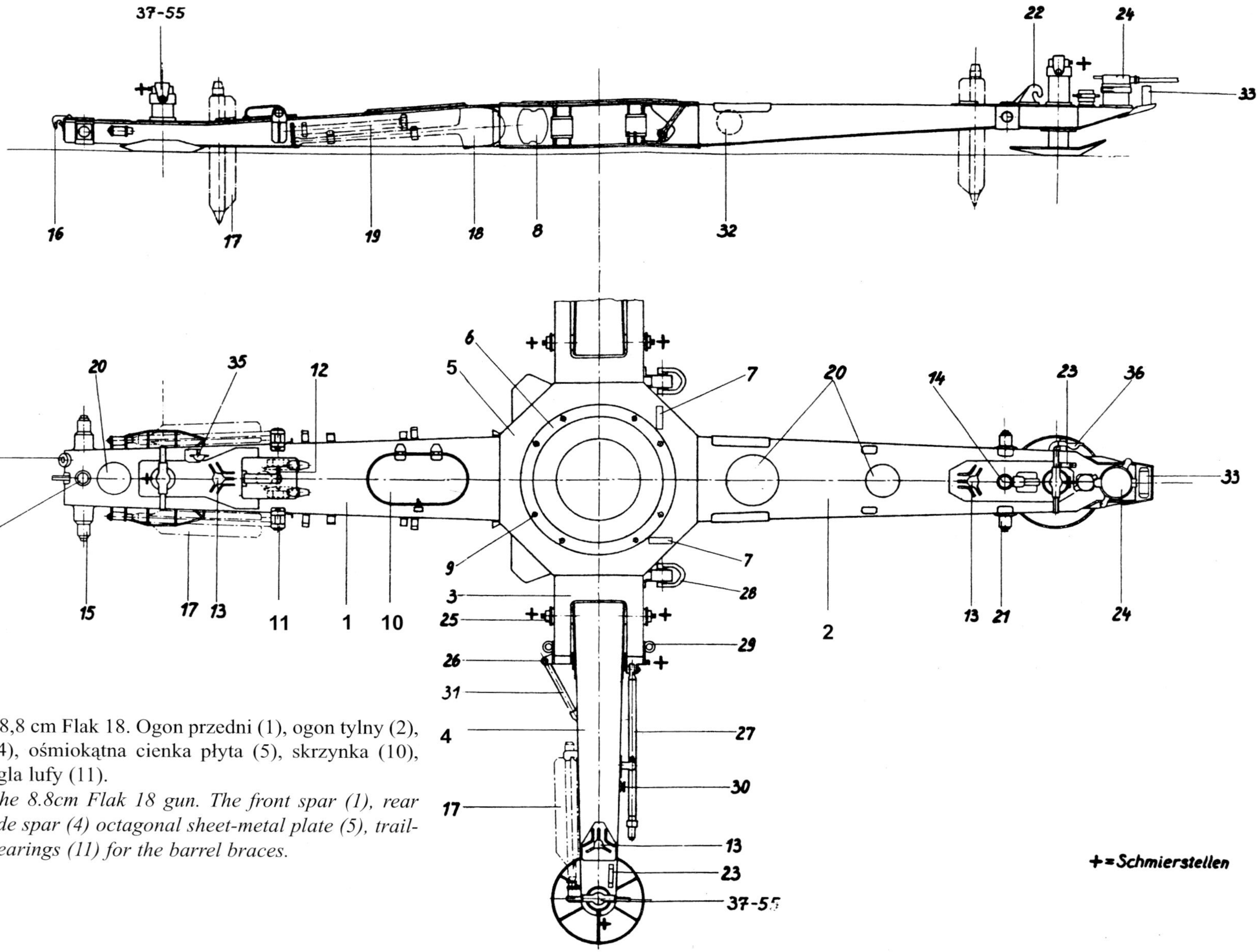

Ogony armaty 8,8 cm Flak 18. Ogon przedni (1), ogon tylny (2), ogon boczny (4), ośmiokątna cienka płyta (5), skrzynka (10), dwa łożyska rygla lufy (11).

Outriggers of the 8.8cm Flak 18 gun. The front spar (1), rear spar (2), one side spar (4) octagonal sheet-metal plate (5), trail-box (10), two bearings (11) for the barrel braces.

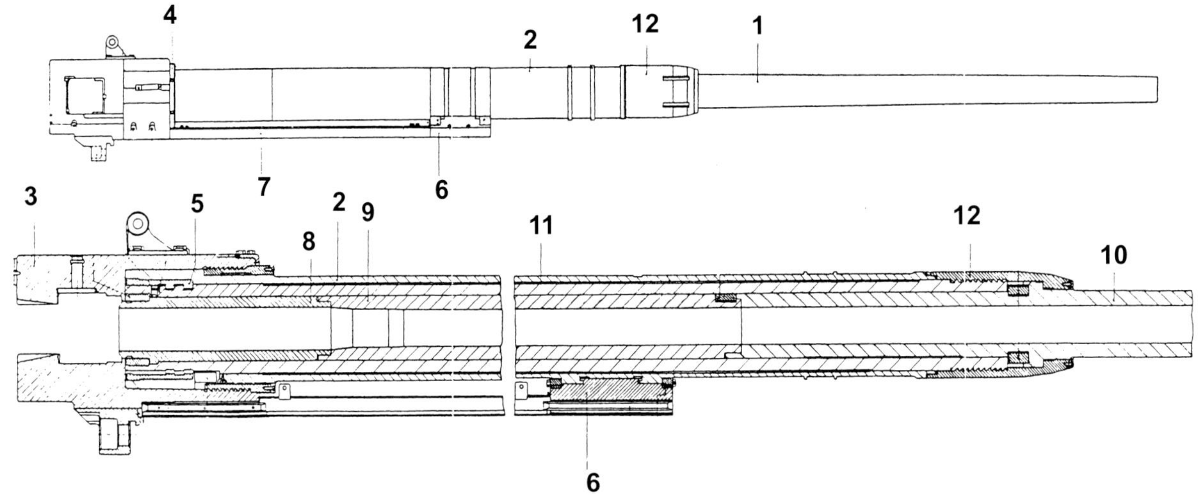

Lufa 88 mm armaty 8,8 cm Flak 36 składa się z lufy wewnętrznej (1) z tylną wymienną lufą rdzeniową (9) przednią wewnętrzną lufą (10) tylną wewnętrzną lufą (11) nakrętki sprężynowej (12) i pierścienia rozciągliwego (13). Pierścień bagnetowy (5) łączy płaszcz lufy(5) z lufą wewnętrzną (1). Nasada zamkowa (3) przymocowana jest do płaszcza lufy (2) za pomocą rozciągliwej śruby (4). Prowadnice lufy (6) pozycjonują lufę w kołysce. Pochewka osłonna (7) chroni prowadzenie kołyski. (dodatek do instrukcji armaty 8,8 cm Flak 18 L.Dv.436)

The barrel of 88mm Flak 36 consisted of the inner barrel (1) with removable liner (8), forward removable liner (9), forward inner barrel (10), rear inner barrel (11), the spring nut (12) and pressure ring (13). The bayonet ring (5) united the gun jacket (2) with the inner barrel (1). The base (3) was firmly attached to the jacket (2) by the tension screw (4). The barrel guides (6) served to position the barrel in the cradle. The protective sheath (7) was there to protect the course of the cradle. (based on the supplement to Handbuch L.Dv. 436 8,8cm Flak 18)

Rygiel lufy.
Barrel lock.

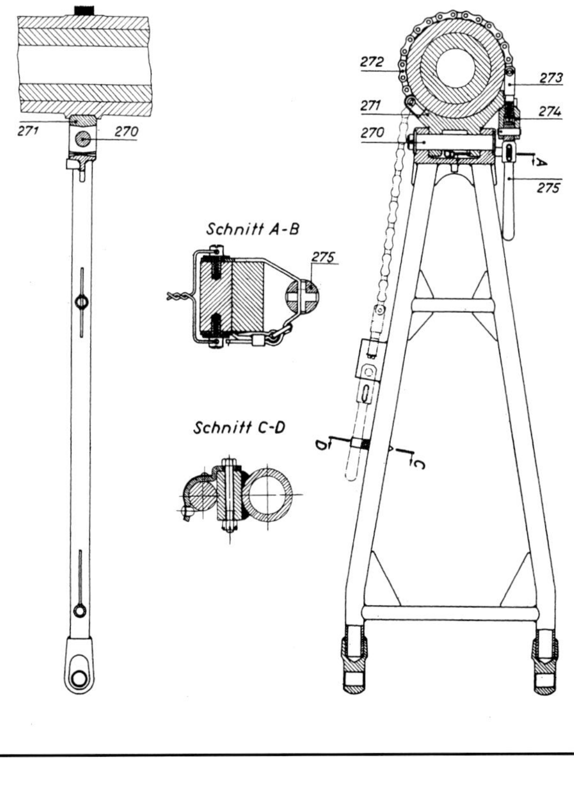

Mechanizm podniesieniowy.
Elevation aiming gear.

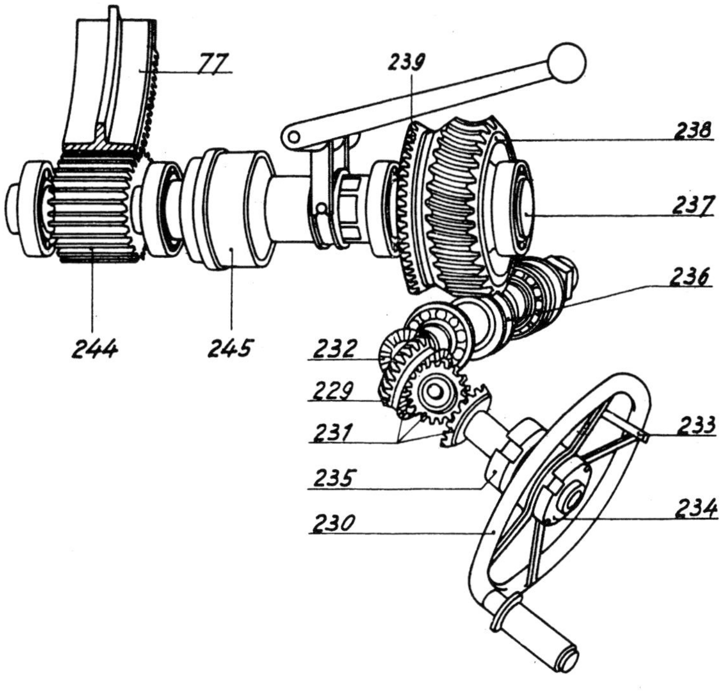

Mechanizm kierunkowy.
Traverse aiming gear.

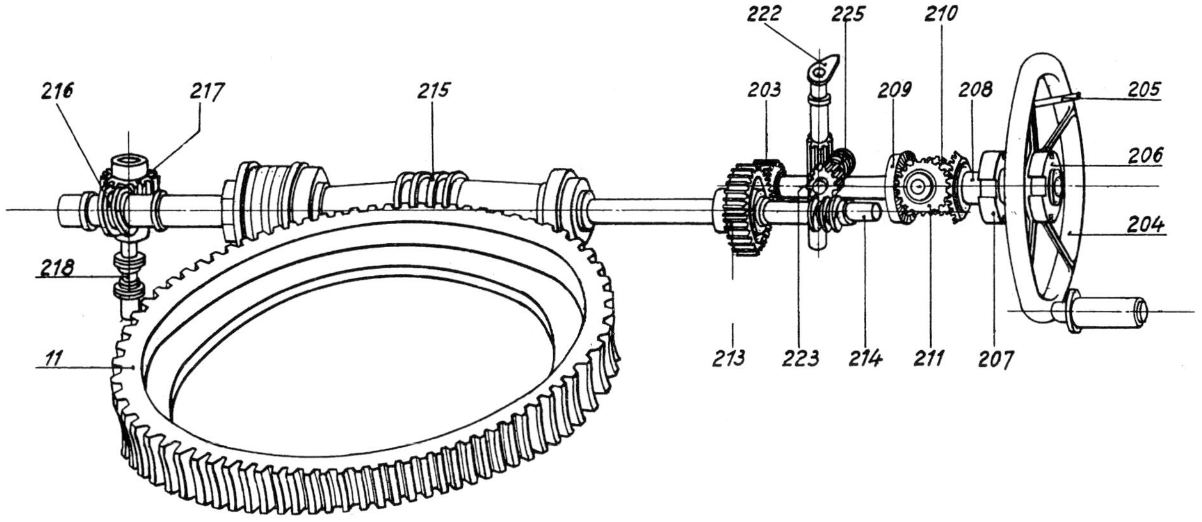

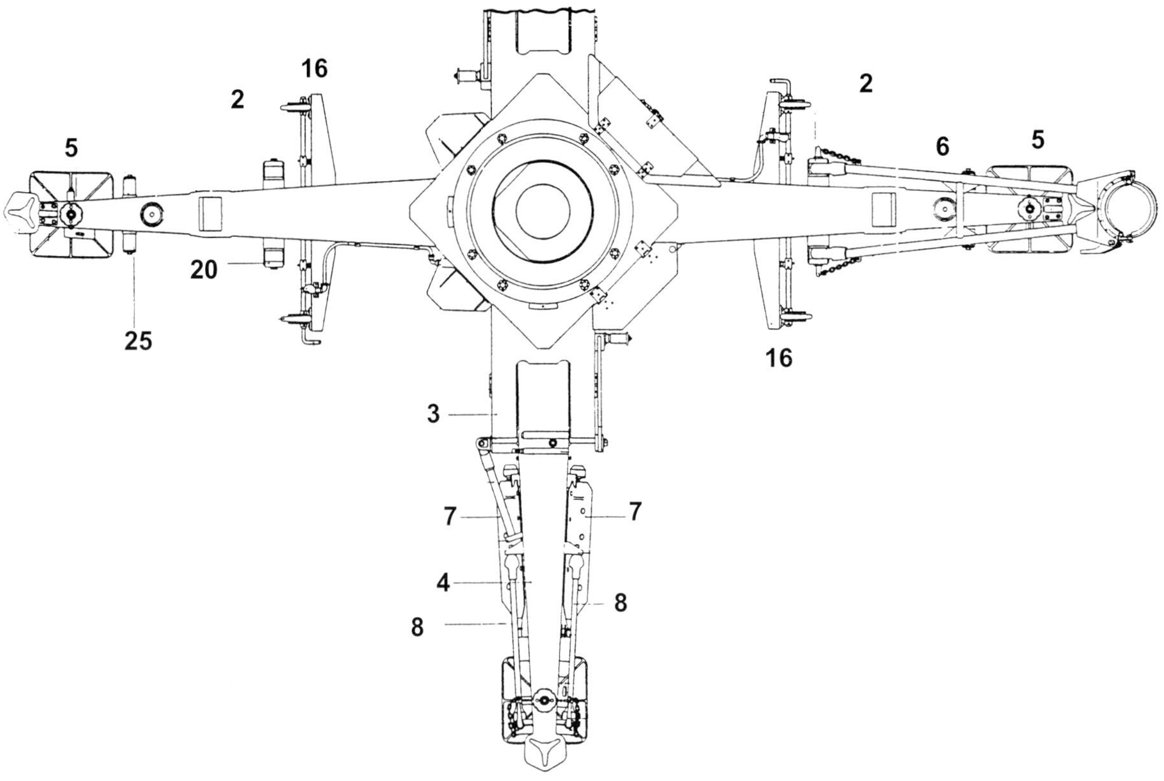

Ogony armaty 8,8 cm Flak 36: ogon wzdłużny (2), wspornik boczny (3), składany ogon (4), urządzenie poziomujące (5), rygiel lufy (6), podpory ziemne (7), mechanizm zapadkowy (8), wysięgnik (16) z hakiem (17) do podłączenia podwozia jezdnego, czop obrotowy (25) łożysko do rygla lufy (20).
Outriggers of the 8.8cm Flak 36: longitudinal spar (2), side brace (3), folding spar (4), levering gear (5), barrel lock (6), ground posts (7), ratcher (8), extender (16) with hook (17) to attach the running gear, trunnion (25), bearing for barrel lock (20).

Odciągacz sprężynowy.
Equlibrators to balance the muzzle of the barrel

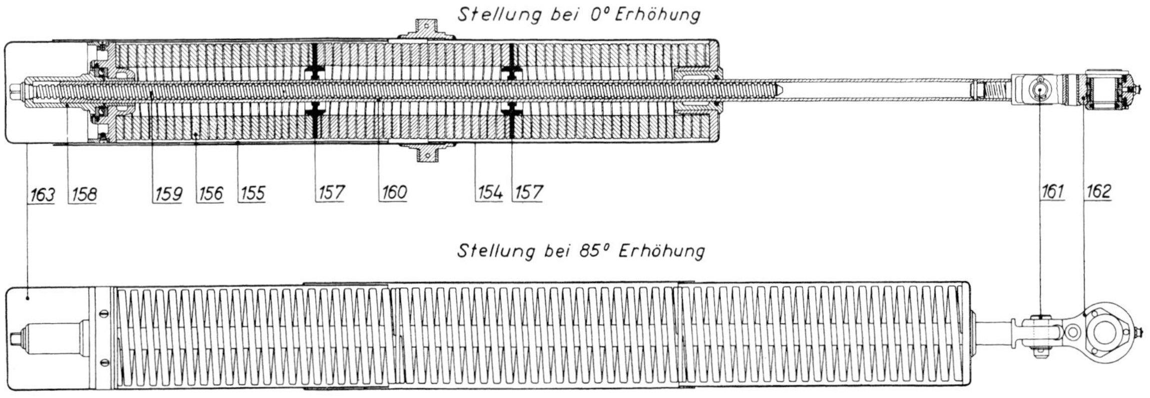

Lufa składała się z płaszcza (1) lufy wewnętrznej demontowanej (2) umieszczonej w płaszczu, łatwo odłączalnej nasady zamkowej (3) z kotwicą lufy (4) i łożyska ślizgowego (5) rozciągliwego pierścienia (6) i odłączalnej prowadnicy lufy (7). Zaczep (8) do dosyłacza był przymocowany do płaszcza lufy, odciążnik (9) do zamknięcia sprężyny zamka w nasadzie.

The barrel of 8.8cm Flak 18 consists of the jacket (1), the inner barrel (2) installed to allow play but with support, and replacable as well, the easily detachable breech (3) with barrel brace (4) and pillow block (5), the pressure ring (6) and the removable barrel guide (7). The catch (8) for the rammer was attached to the jacket, the counterweight (9) for the closing spring of the breechblock to base.

Lufa armaty 8,8 cm Flak 18.

8.8.Flak 18 gun barrel.

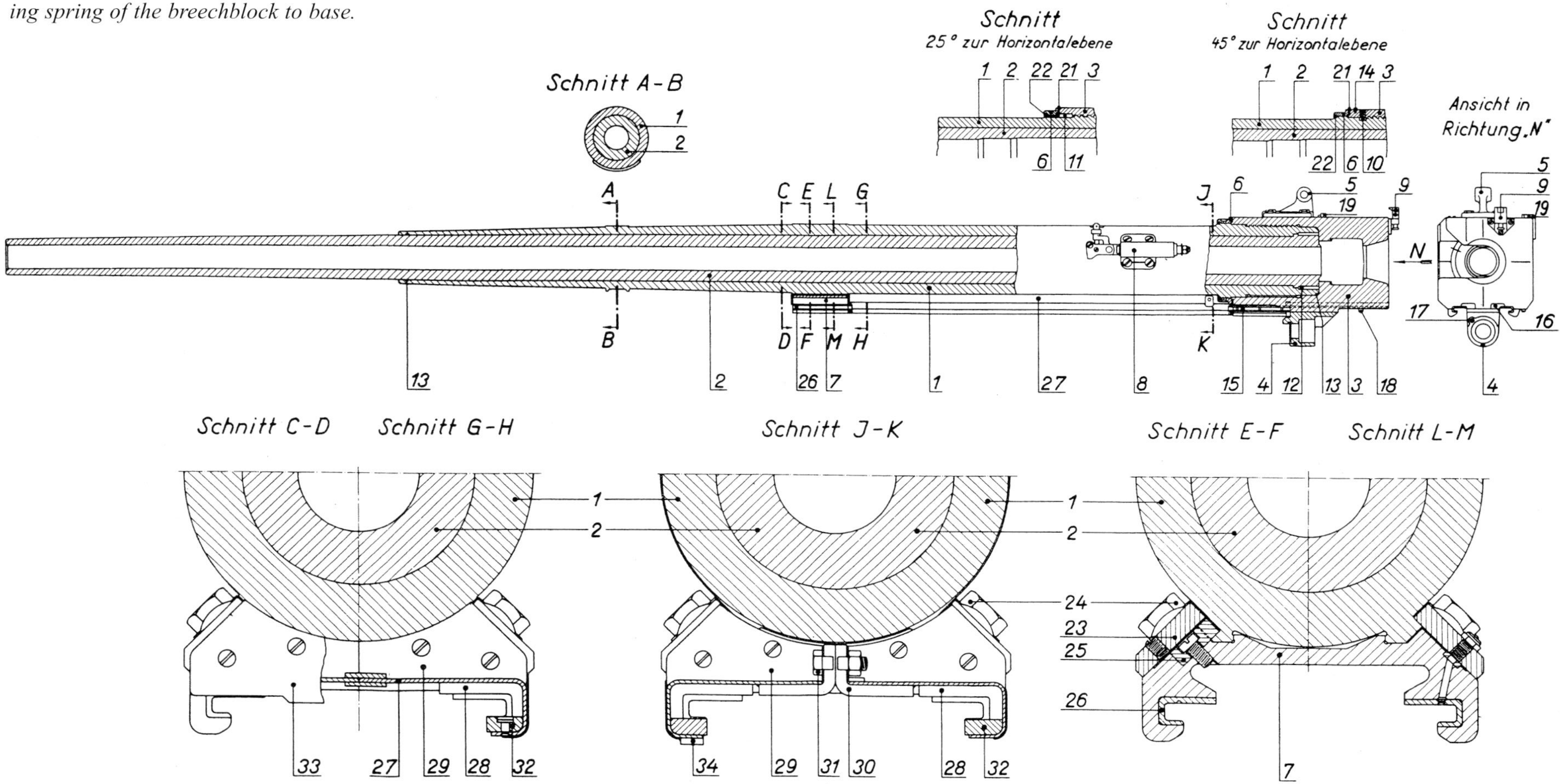

Przyrząd celowniczy.
Aiming device.

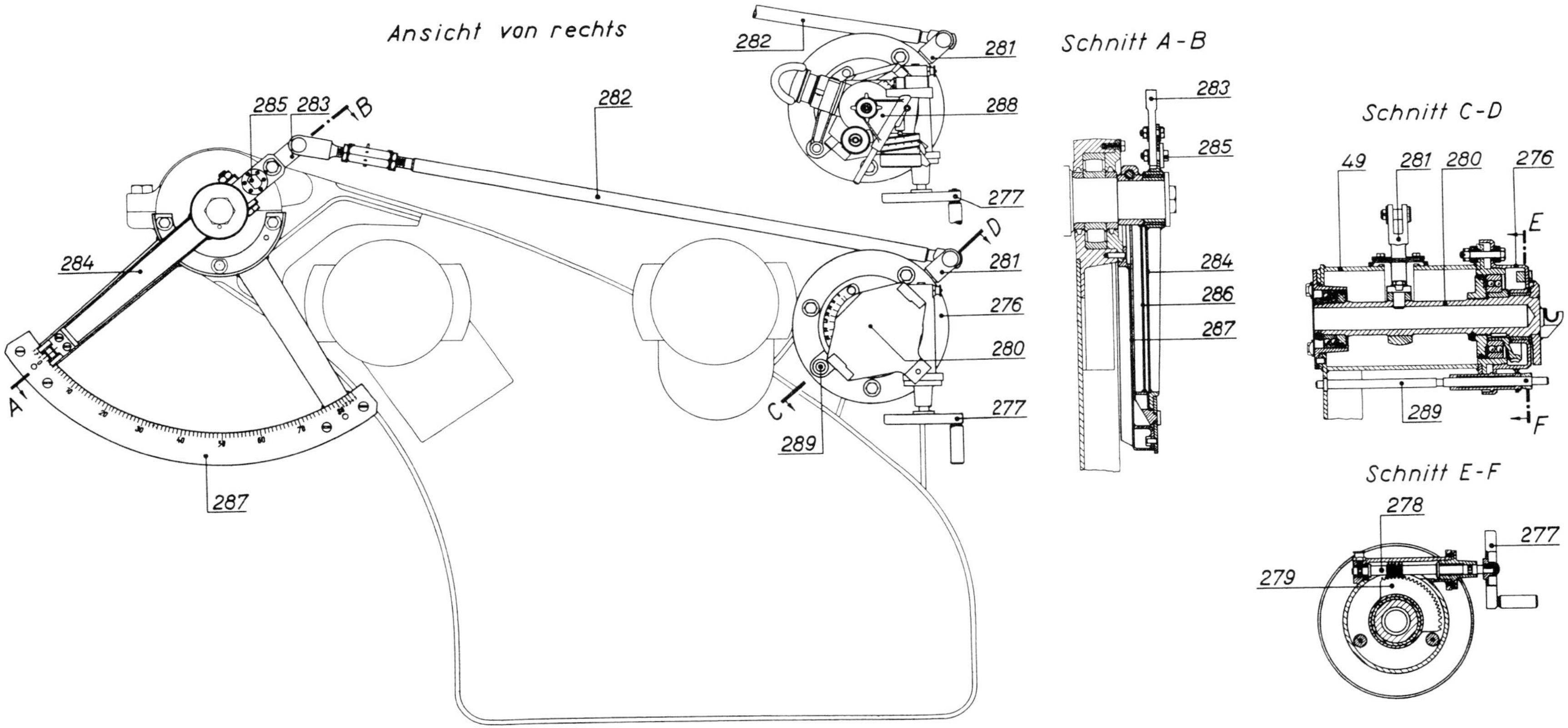

Opornik.
Recoil.

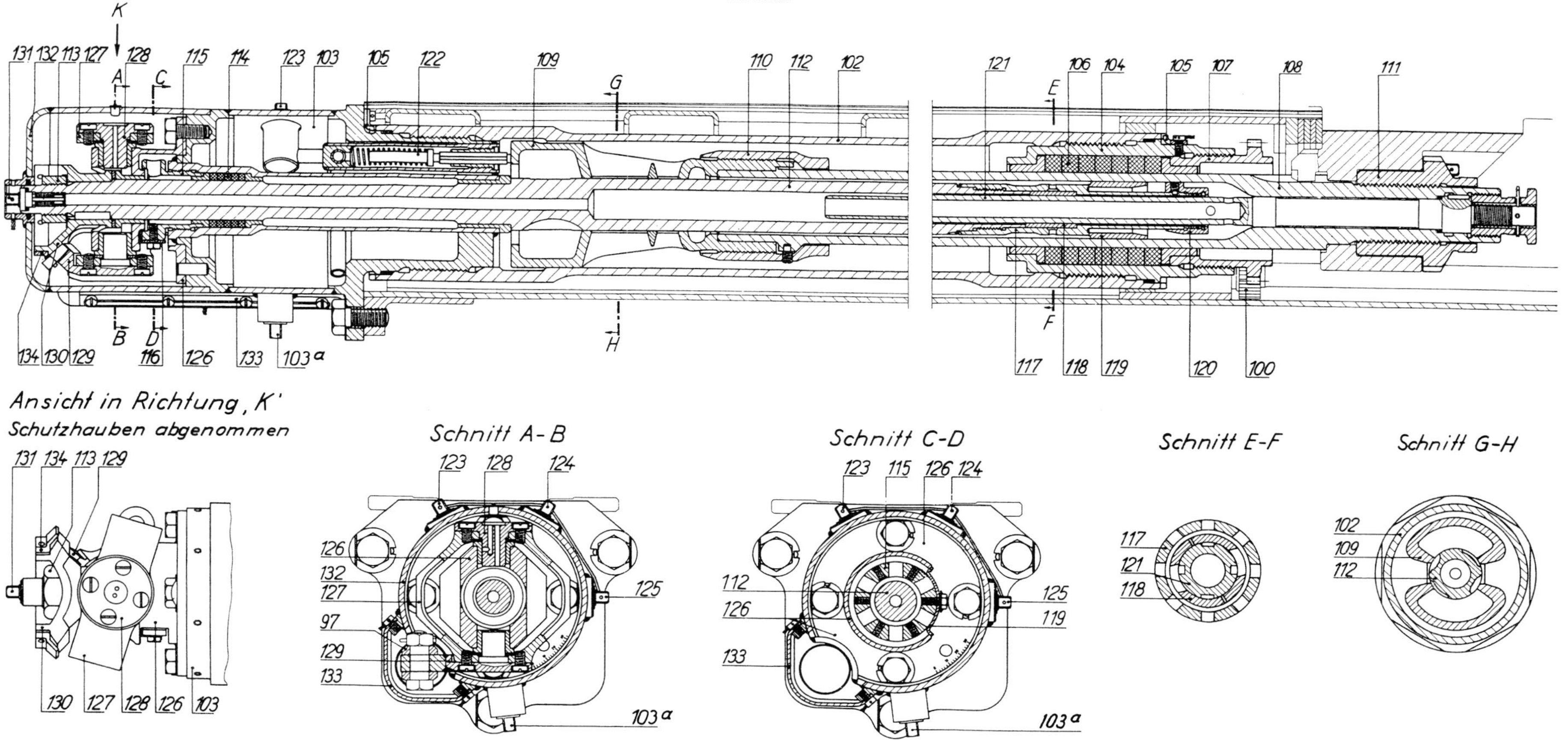

Wyrzutnik łusek.
Shell case ejector.

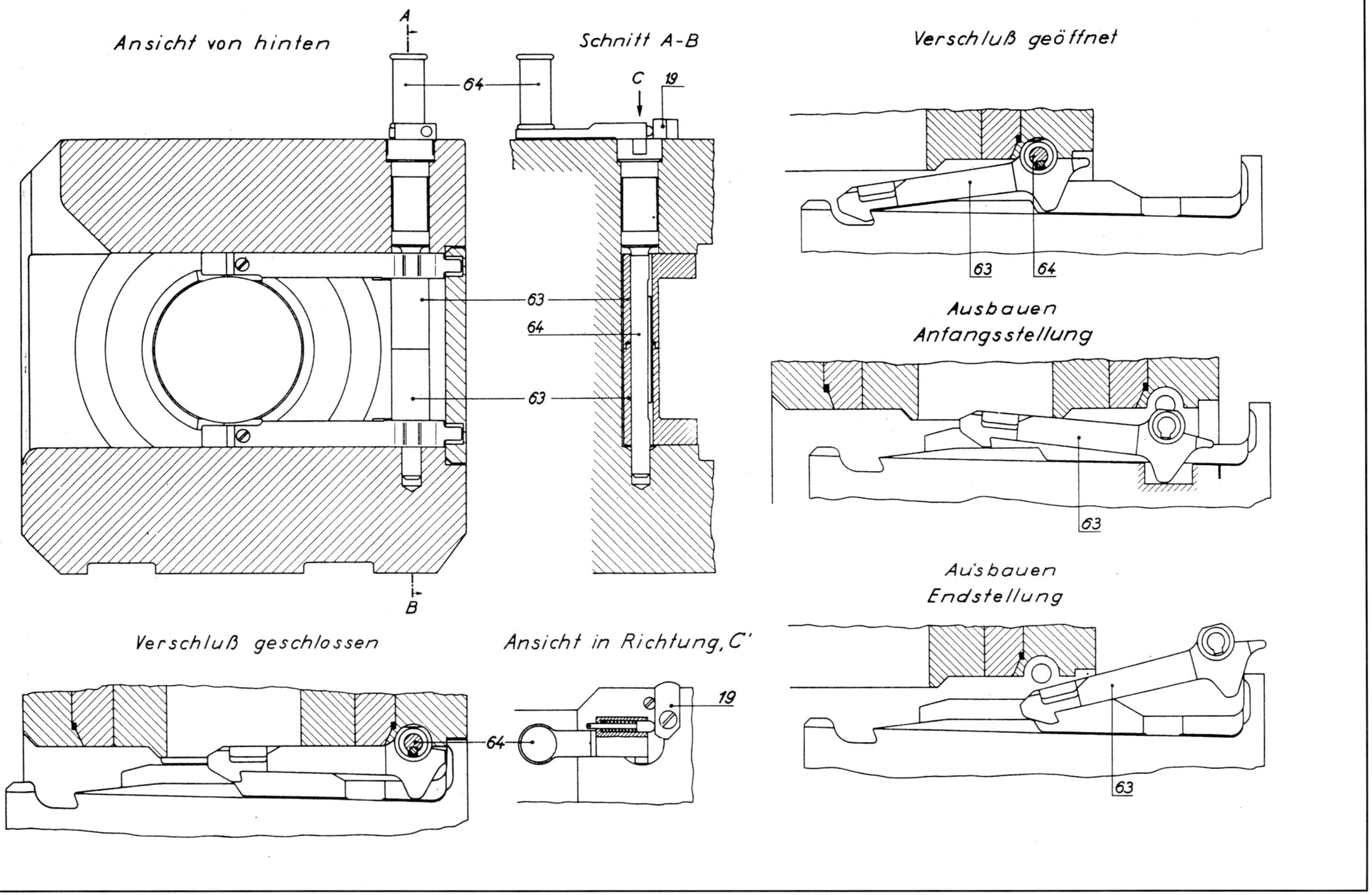

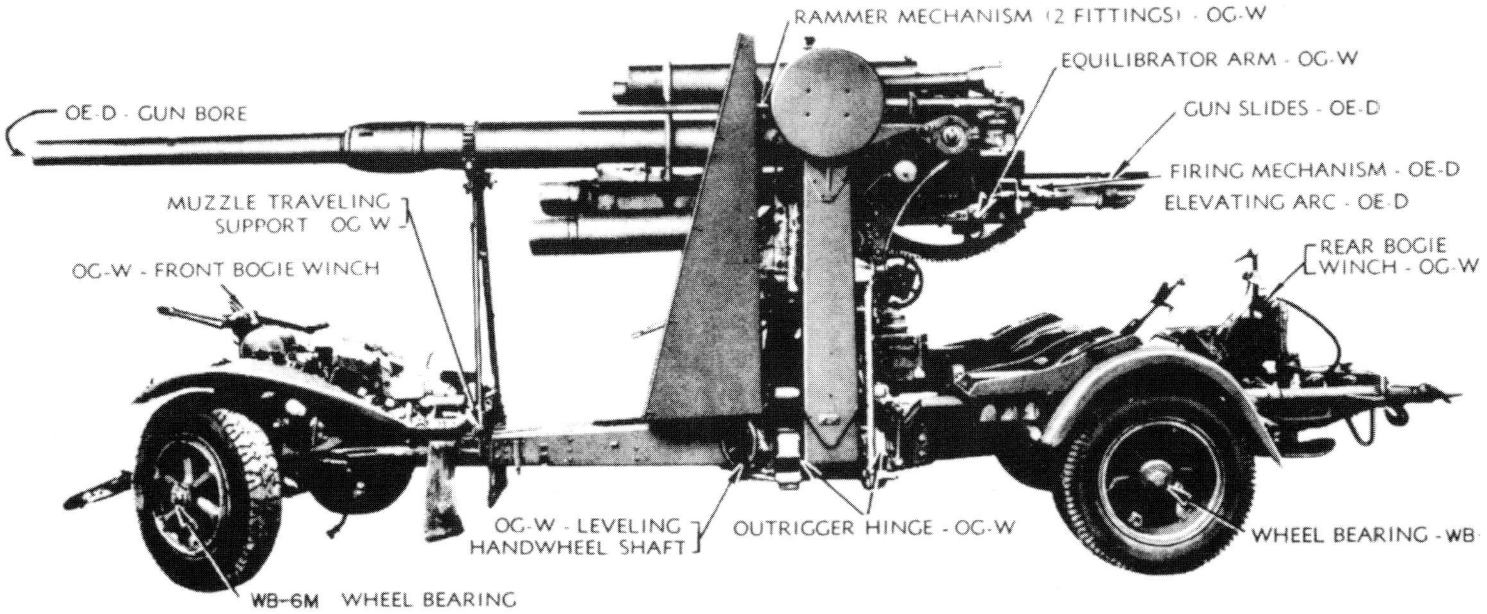

LUBRICANTS	
OE — OIL, engine SAE 30 (above + 32° F.) SAE 10 + 32° to 0° F) Below 0°F use	OG — GREASE, O.D. NO. 0 (above + 32° F.) No. 00 (below + 32° F.)
CG — lubricating, preservative, light.	WB — GREASE, general purpose No. 2

INTERVALS
D — Daily
W — Weekly
6M — 6MONTHLY

RA PD 71228

Armata 8,8 cm Flak 18 na podwoziu Sd Anh 201
– schemat smarowania.
8.8.cm Flak 18 gun on Sd Anh 201 chassis
– scheme of lubrication.

Dosyłacz naboi – widok z lewej i z tyłu.
Rammer – left side and rear view.

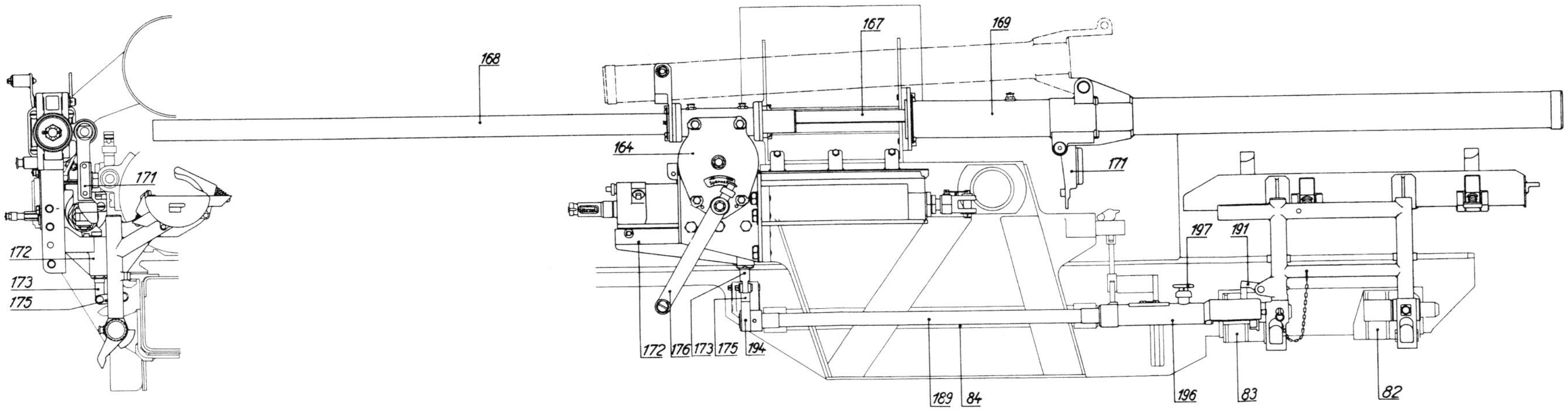

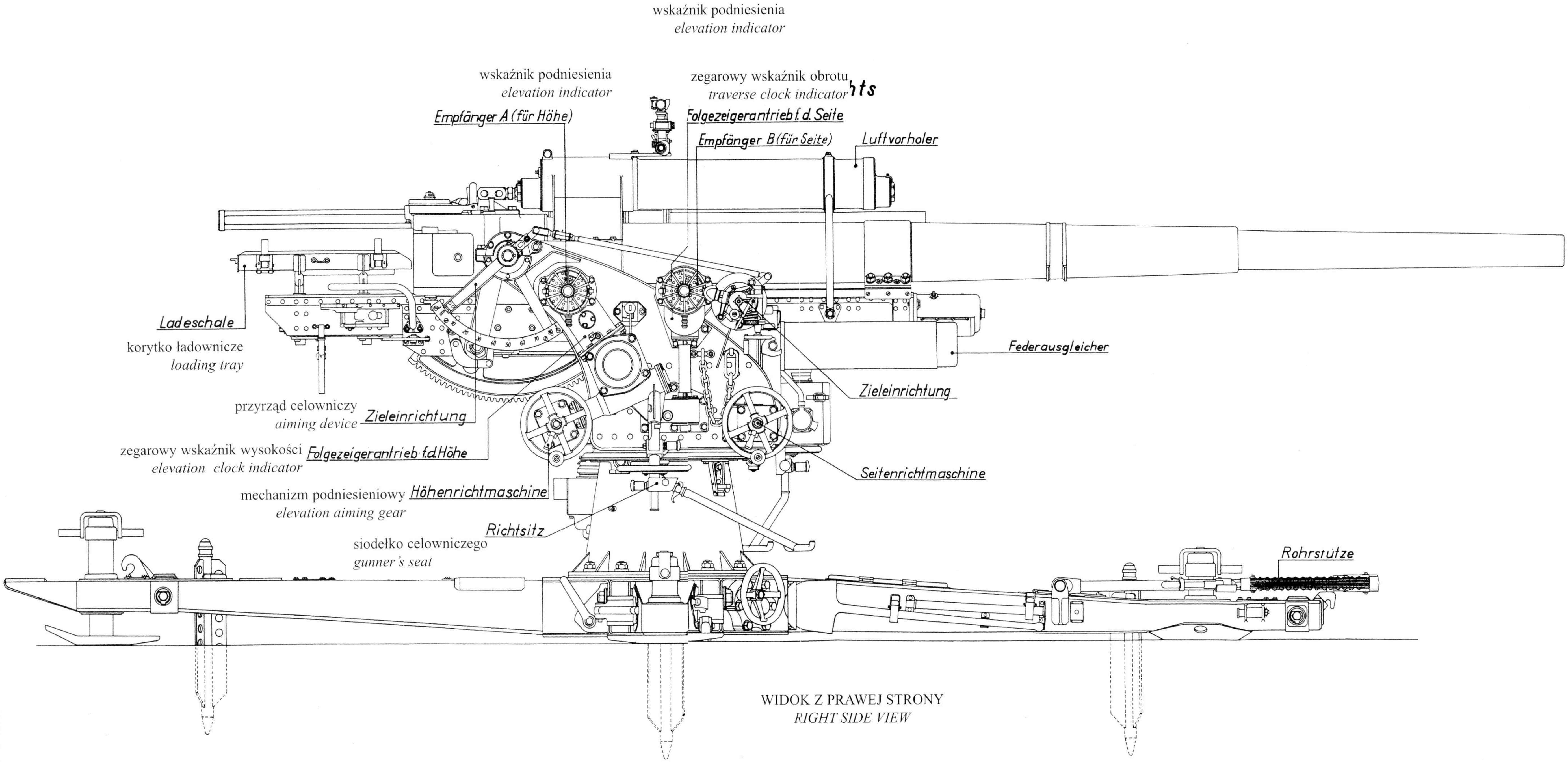

WIDOK Z PRAWEJ STRONY

RIGHT SIDE VIEW

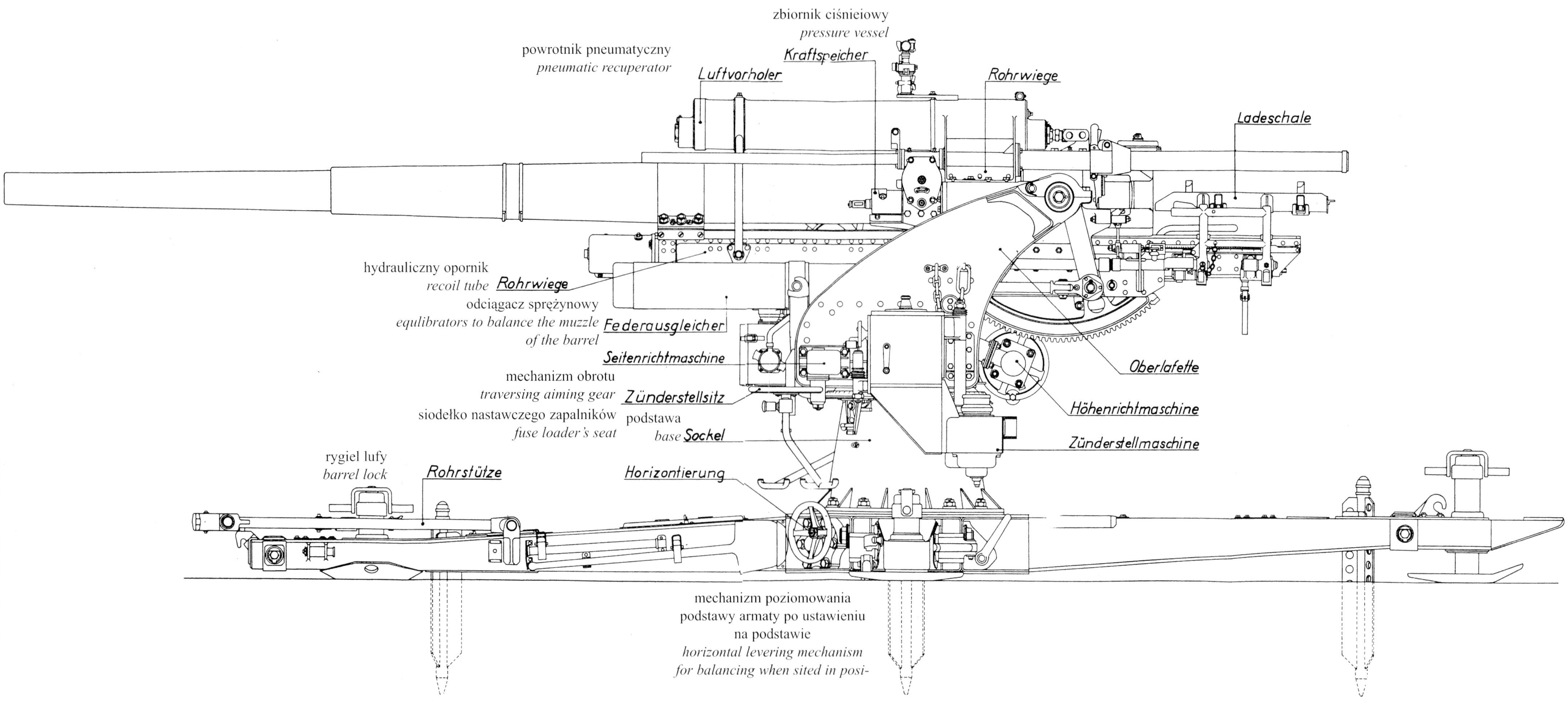
zbiornik ciśnieiowy
pressure vessel
Kraftspeicher
powrotnik pneumatyczny
pneumatic recuperator
Luftvorholer
Rohrwiege
Ladeschale
hydrauliczny opornik
recoil tube
Rohrwiege
odciągacz sprężynowy
equlibrators to balance the muzzle of the barrel
Federausgleicher
Seitenrichtmaschine
mechanizm obrotu
traversing aiming gear
Zünderstellsitz
siodełko nastawczego zapalników
fuse loader's seat
podstawa
base
Sockel
Oberlafette
Höhenrichtmaschine
Zünderstellmaschine
rygiel lufy
barrel lock
Rohrstütze
Horizontierung
mechanizm poziomowania podstawy armaty po ustawieniu na podstawie
horizontal levering mechanism for balancing when sited in posi-

WIDOK Z TYŁU
REAR VIEW

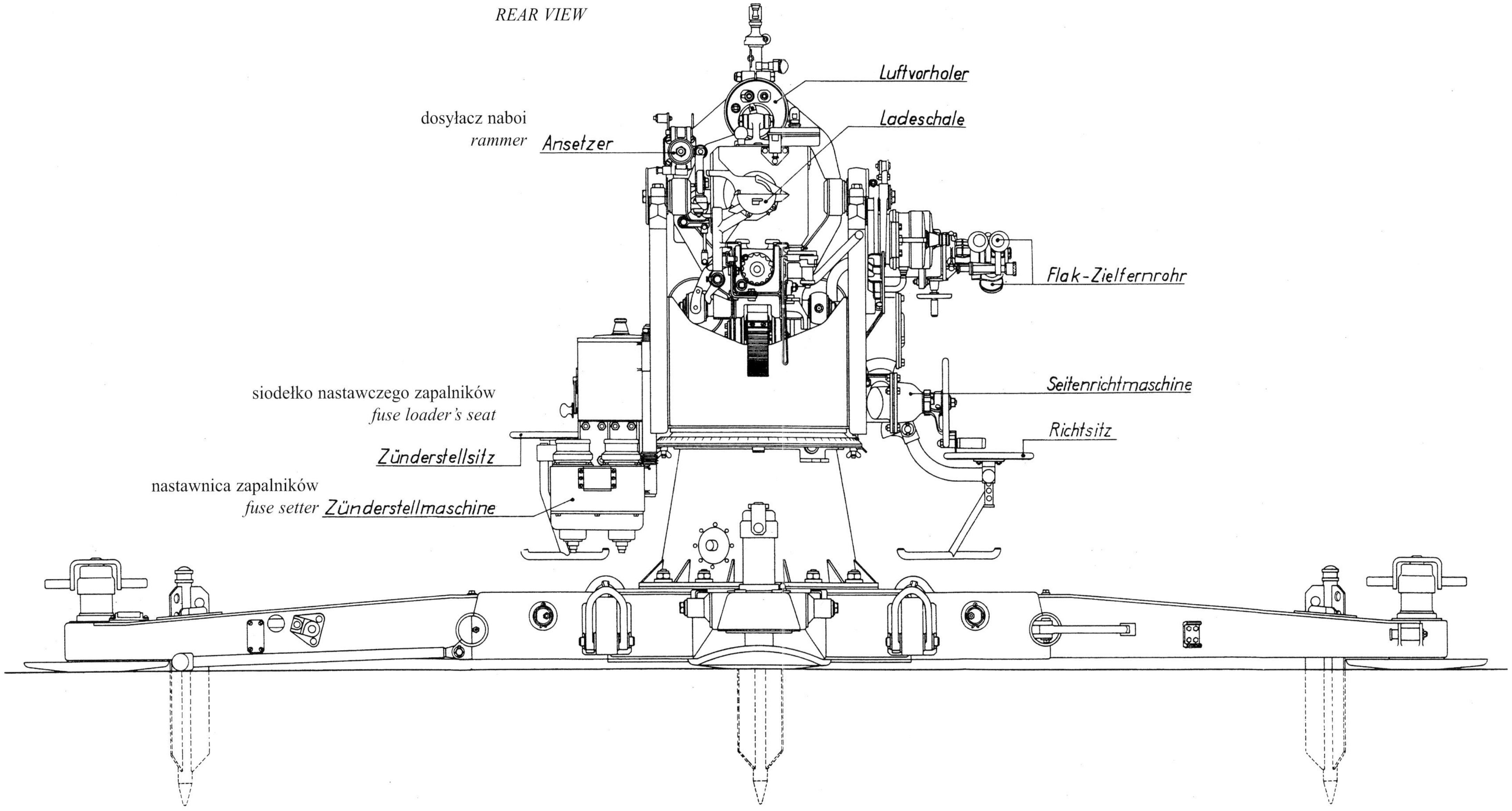

WIDOK Z GÓRY
TOP VIEW

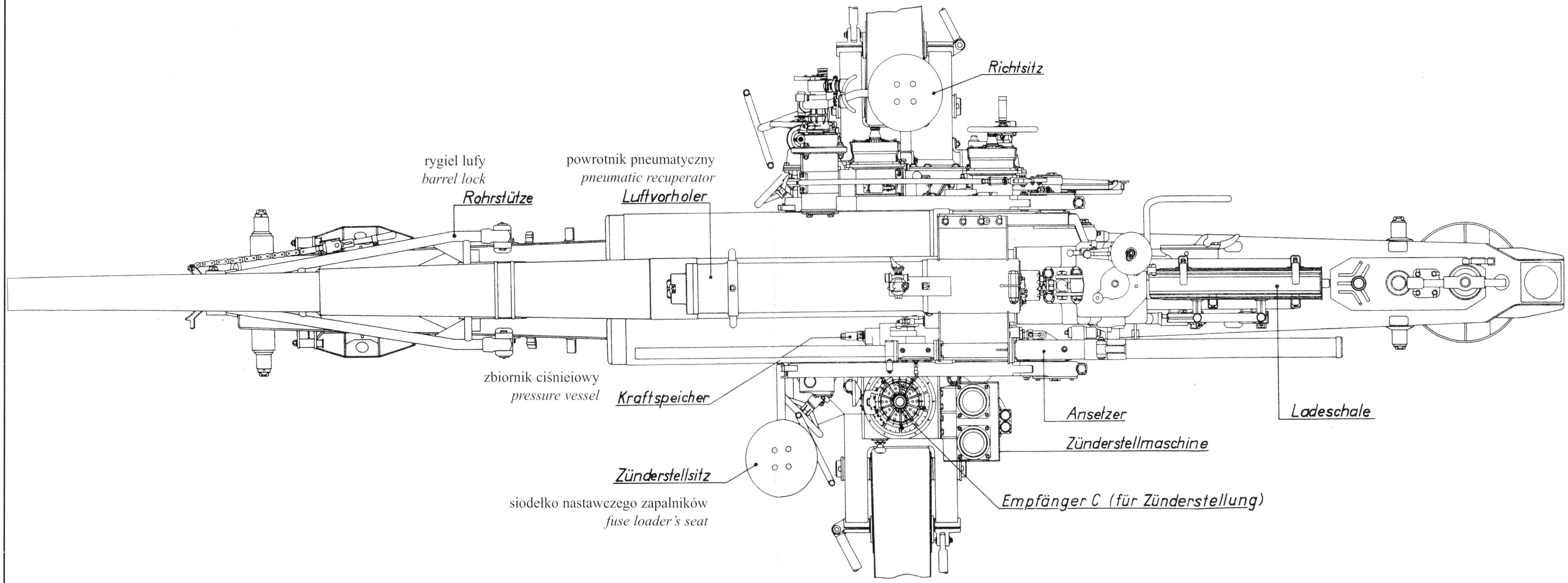

Bildtafel 2

RYSUNEK PRZEKROJOWY – WIDOK
Z LEWEJ STRONY
CUT AWAY DRAWING – LEFT SIDE VIEW

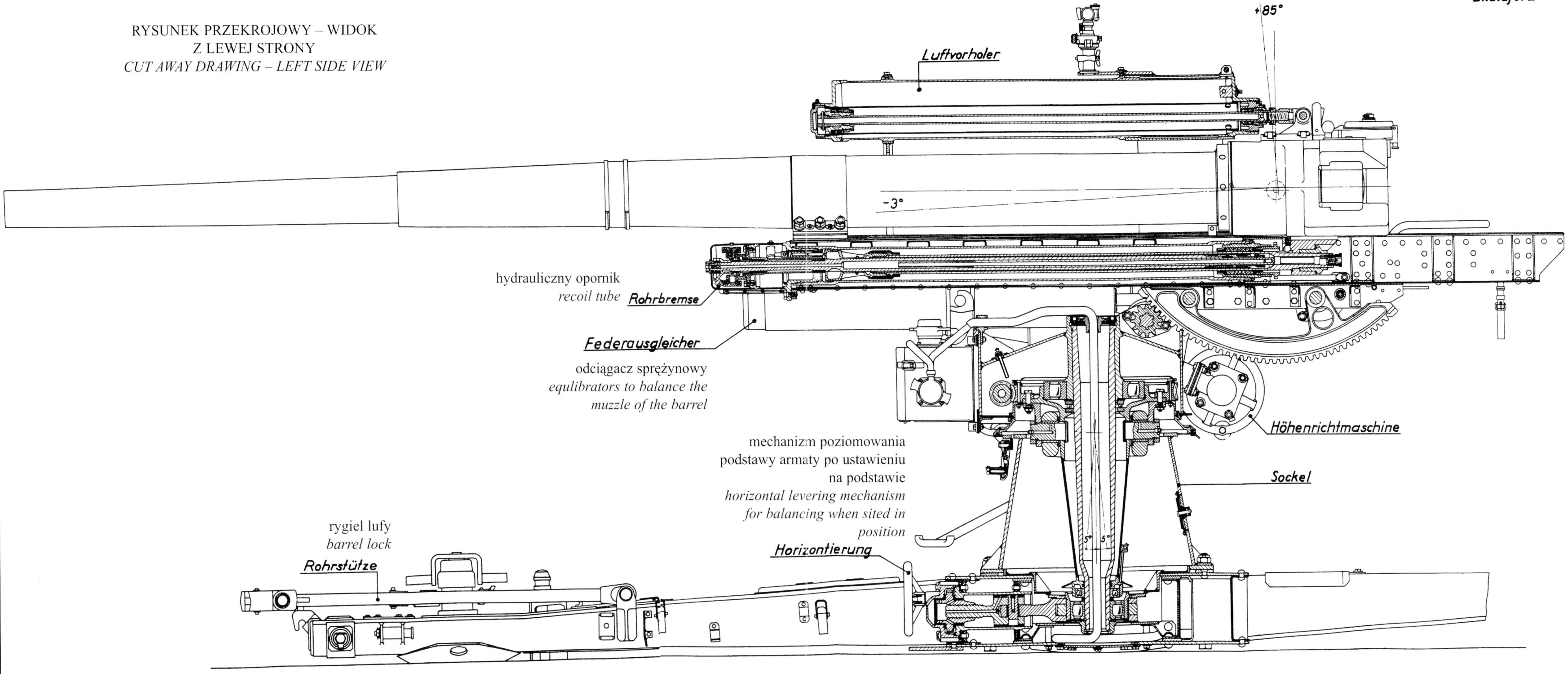

łoże górne
upper gun mount

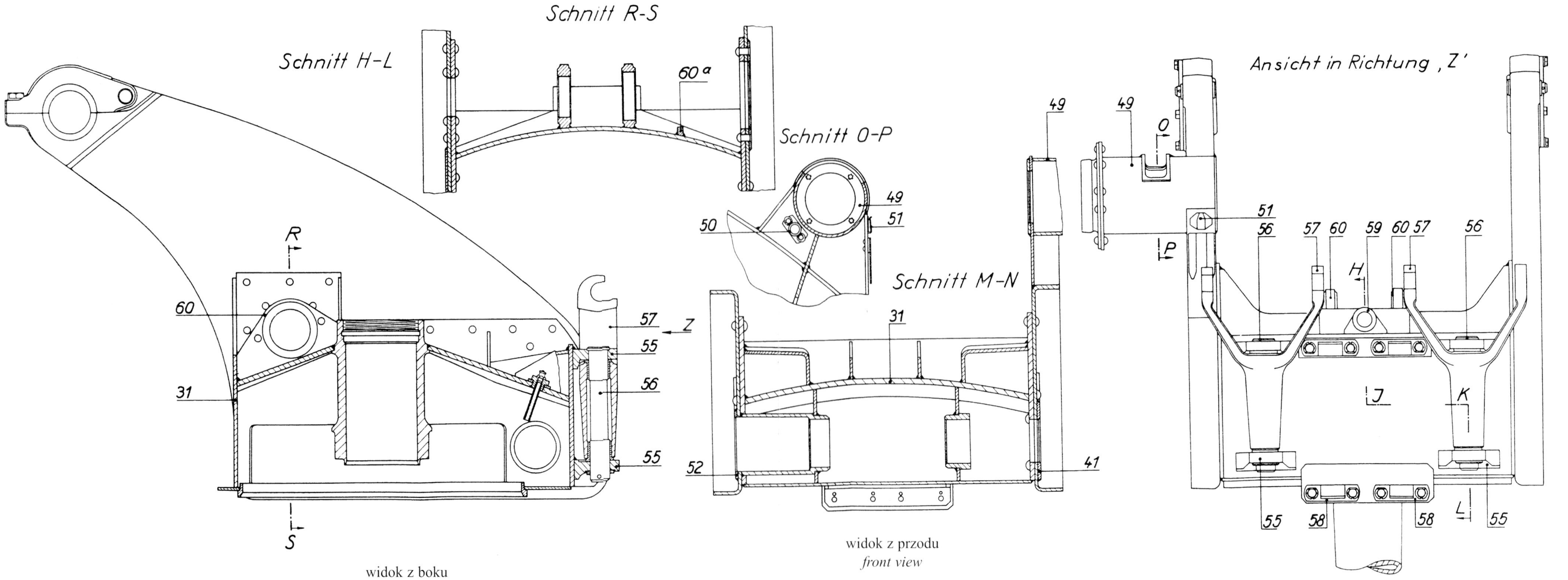

widok z boku
side view

widok z przodu
front view

8,8 cm Flak 18/36 prawdopodobnie z I. Dywizjonu 33. Pułku Artylerii Przeciwlotniczej (Luftwaffe) przydzielonego do 21. Dywizji Pancernej, DAK, Libia, listopad 1941 roku. *8.8cm Flak 18/36 gun probably of the 1st Abteilung, 33rd Flak Regiment (Luftwaffe) attached to the 21st Panzer Division, DAK, Libya, November 1941.*

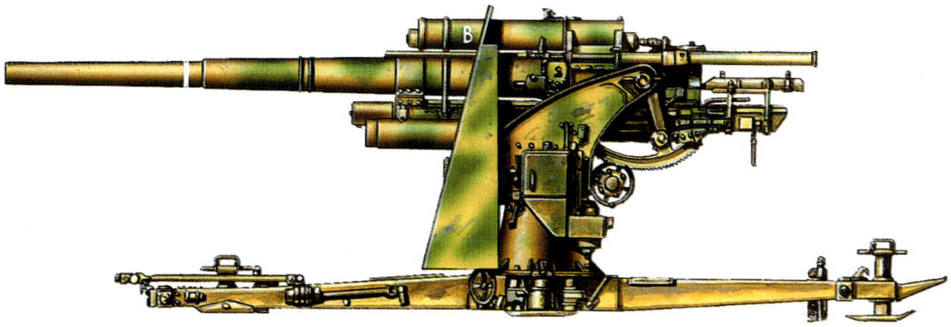

8,8 cm Flak 18 z Pułku Artylerii Przeciwlotniczej SS „Totenkopf", DGrenPancernych SS „Totenkopf" front wschodni, koniec 1943 roku.
8.8cm Flak 36 of the SS-Flak Regiment "Totenkopf", SS-Panzer Grenadiere Division "Totenkopf" Eastern Front, end 1943.

8,8 cm Flak 36 z nieustalonej jednostki, Stalingrad, listopad 1942 roku.
8.8cm Flak 36 gun of unidentified unit, Stalingrad, November 1942.

Armata 8,8 cm Flak 36 L/56 widok z góry. *8.8cm Flak 18 L/56 gun, top view.*

Armata 8,8 cm Flak 18 L/56, lufa i cylinder mechanizmu powrotnego.
8.8cm Flak 36 L/56 gun. Gun barrel and recuperator.

Armata 8,8 cm Flak 36 L/56 składana podpora boczna i podstawa armaty (laweta).
8.8cm Flak 36 L/56 gun, side folded outrigger and gun base (lafette).

Armata 8,8 cm Flak 36 L/56, napęd mechanizmu obrotu lufy armaty i wskaźnik kąta podniesienia lufy.
8.8cm Flak 36 L/56 gun. Elevation direction indicator drive and indicator B for traverse.

Armata 8,8 cm Flak 36 L/56, widok z lewej strony. *8.8cm Flak 36 L/56, left side view.*

Armata 8,8 cm Flak 36 L/56, widok z lewej strony. *8.8cm Flak 36 L/56, left side view.*

Detale zamka armaty. *Gun lock details.*

Armata 8,8 cm Flak 36 L/56 detale dolnej i górnej podstawy (lawety) armaty.
8.8cm Flak 36 L/56 gun, details of lower and upper gun base.

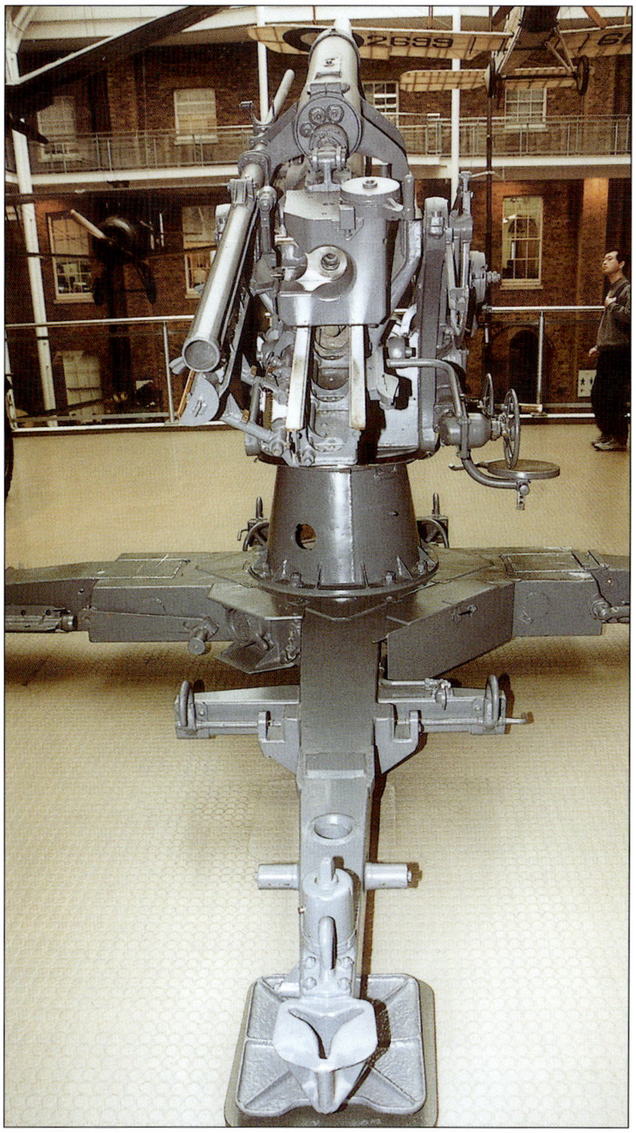

Armata 8,8 cm Flak 36 L/56 widok z tyłu.
8.8cm Flak 36 L/56 gun, rear view.

Armata 8,8 cm Flak 36 L/56, pokrętło mechanizmu obrotu lufy armaty. *8.8cm Flak 36 L/56. Traverse aiming gear.*

Armata 8,8 cm Flak 36 L/56 podpora boczna z ruchomą podstawą. *8.8cm Flak 36 L/56, folded outrigger, lowering gear.*

Wskaźnik kąta podniesienia lufy i napęd mechanizmu podniesienia lufy armaty. *Indicator A for elevation and elevation direction indicator drive.*

Armata 8,8 cm Flak 36 L/56 detale pokręteł mechanizmu podniesienia i obrotu lufy armaty. *8.8cm Flak 36 L/56 gun. Details of elevation and traverse aiming gear.*

Armata 8,8 cm Flak 36 L/56 widok z przodu. *8.8cm Flak 36 L/56 gun, right side front view.*

Armata 8,8 cm Flak 36 L/56 detale dolnej i górnej podstawy armaty. *8.8cm Flak 36 L/56 gun, details of lower and upper part of gun base.*

Napęd mechanizmu obrotu lufy armaty i wskaźnik kąta podniesienia lufy. *Elevation direction indicator drive and indicator B for traverse.*

Armata 8,8 cm Flak 36 L/56, dwa odciągacze sprężynowe. *8.8cm Flak 36 L/56. Two spring equalizer.*

Detale zamka armaty. *Gun lock details.*

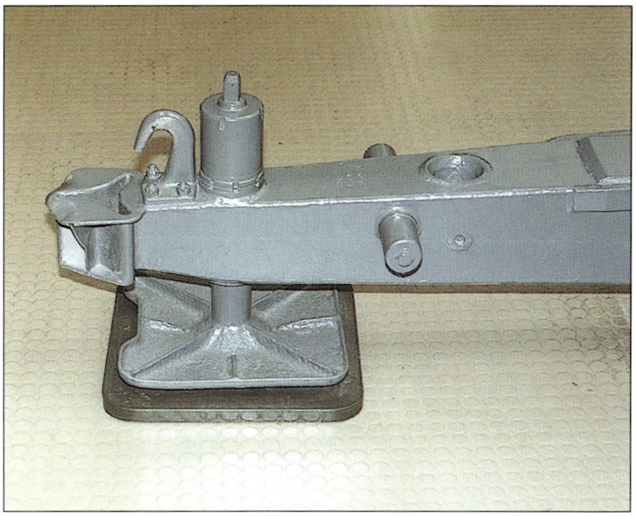

Armata 8,8 cm Flak 36 L/56 podpora boczna z ruchomą podstawą. *8.8cm Flak 36 L/56, folded outrigger, lewering gear.*

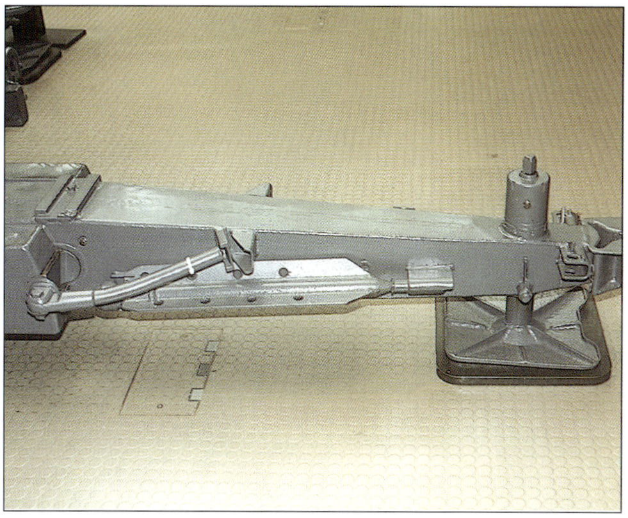

Armata 8,8 cm Flak 36 L/56 składana podpora boczna z ruchomą podstawą. *8.8cm Flak 36 L/56, folded side outrigger, lewering gear.*

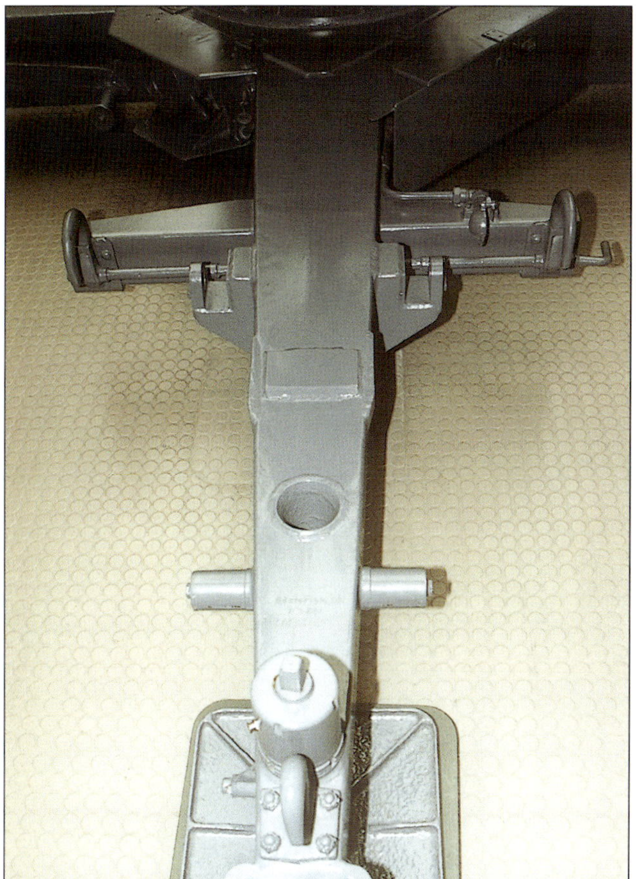

Armata 8,8 cm Flak 36 L/56, stała podpora przednia z ruchomą podstawą. *8.8cm Flak 36 L/56, fixed front outrigger, lewering gear.*

Armata 8,8 cm Flak 36 L/56, detale mechanizmu podniesienia lufy. *8.8cm Flak 36 L/56, details of elevation mechanism.*

Armata 8,8 cm Flak 36 L/56, detale zamka armaty. *8.8cm Flak 36 L/56. Gun lock details.*

Armata 8,8 cm Flak 36 L/56 wskaźnik odrzutu lufy armaty.
8.8cm Flak 36 L/56, gun barrel recoil indicator.

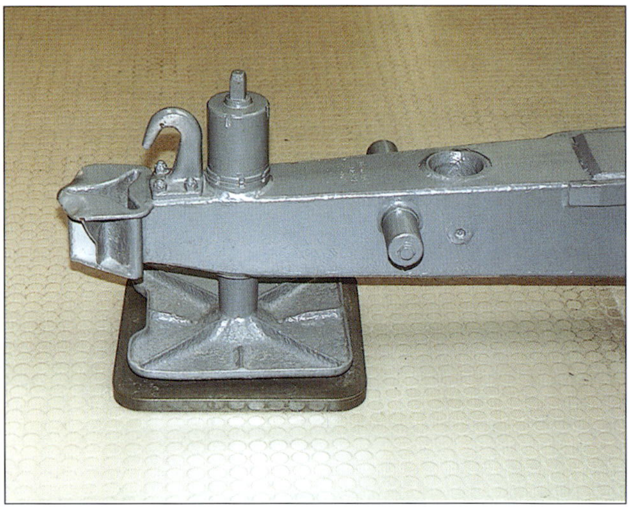

Armata 8,8 cm Flak 36 L/56 podpora boczna z ruchomą podstawą. *8.8cm Flak 36 L/56, folded outrigger, lewering gear.*

Armata 8,8 cm Flak 36 L/56, napęd mechanizmu obrotu lufy armaty i wskaźnik kąta podniesienia lufy i widok z tyłu (u góry). *8.8cm Flak 36 L/56 gun. Elevation direction indicator drive and indicator B for traverse and top, rear view (above)*

Armata 8,8 cm Flak 36 L/56 podpora przednia z ruchomą podstawą. *8.8cm Flak 36 L/56, fixed, front outrigger.*

Armata 8,8 cm Flak 36 L/56 lufa.
8.8cm Flak 36 L/56 gun, gun barrel.

Armata 8,8 cm Flak 36 L/56, widok z lewej strony (u góry) i zamek od tyłu. *8.8cm Flak 36 L/56, left side view (top) and gun lock (rear view).*

Armata 8,8 cm Flak 36 L/56 widok z góry.
8.8cm Flak 36 L/56 gun, top view.

Armata 8,8 cm Flak 36 L/56 zamek, widok od tyłu.
8.8cm Flak 36 L/56 gun, gun lock, rear view.

8,8 cm Flak 37 z nieustalonej jednostki, rejon Krasnodaru, zima 1942-1943.
8.8cm Flak 37 gun of unidentified unit, Krasnodar area, Eastern Front, Winter 1942-1943.

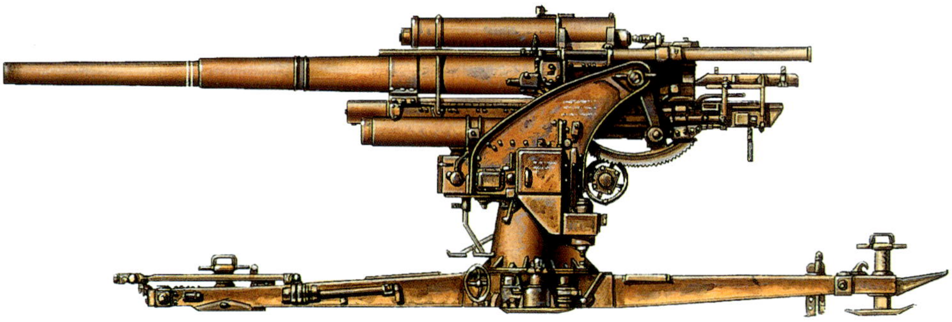

8,8 cm Flak 18 z nieustalonej jednostki, Sycylia, lipiec 1943 roku.
8.8cm Flak 18 gun of unidentified unit, Sicily, June 1943.

8,8 cm Flak 18/36 prawdopodobnie z 4. Dywizjonu 90. Pułku Artylerii Przeciwlotniczej „Afryka" (Heer) przydzielonego do 10. Dywizji Pancernej, Tunezja, marzec 1943 roku. *8.8cm Flak 18/36 gun probably of the IVth Abteilung, 90th Afrika Artillery Regiment (Heer), attached to the 10th Panzer Division, Tunisia, March 1943.*